LES CHIENS DE BANGKOK

ARMAND LERCO

LES CHIENS
DE BANGKOK

récit

FRANCE~AMÉRIQUE

A ceux qui y sont encore...

Daniel avait disparu depuis trois jours. Je m'étais informé à la réception de l'hôtel : ses bagages étaient toujours dans sa chambre mais personne ne l'avait vu. Il était homosexuel et, peut-être pour cette raison, il ne me faisait jamais part de sa vie privée. Je trouvais donc que je n'avais pas lieu de m'inquiéter.

Le matin de son cinquième jour d'absence, un jeudi, j'ai reçu un coup de téléphone laconique d'un Thaï : Daniel était détenu à la police-station de Lumpini. Il avait faim. Le type n'en savait pas plus. Intrigués, un peu amusés même, Laure et moi nous avons décidé d'aller lui rendre visite. En Thaïlande, n'importe qui peut être arrêté pour n'importe quoi, y compris pour les motifs les plus extravagants. Le plus souvent ce n'est pas grave, quelques dollars suffisent pour arranger les choses.

Lumpini était un quartier proche de la rue Sukhumvit où nous habitions. Nous nous y sommes rendus à pied. En route, nous avons acheté des pâtisseries et des pâtes de fruit, nous faisions semblant d'aller goûter avec Daniel. Laure lui a choisi un bouquet de fleurs. Il se complaisait dans le « sentimentalisme excessif », ainsi qu'il le disait avec emphase, et des roses n'allaient pas manquer de lui faire plaisir.

Le « violon » de Lumpini était une police-station sommaire. La grille de son unique cellule donnait de plain-pied sur la rue, de telle sorte que, de loin, nous avons aperçu Daniel qui devait nous attendre depuis l'aube, accroché aux barreaux. Il nous a accueillis avec son sourire le plus char-meur, tandis que les Thaïs enfermés avec lui, hilares, nous balançaient des : « *Hello my friend!* » Notre ami était un peu décati par ses cinq jours de détention mais pas du tout inquiet quant à son affaire qui se révélait, somme toute, bénigne. Comme tant d'autres Occidentaux contrôlés dans la rue, les flics à l'œil torve lui avaient joué leur tour de passe-passe habituel, celui qui consistait à découvrir un paquet de dope dans une des poches vides de leur victime. Après quoi, les policiers lui réclamèrent mille dollars en espérant qu'il leur en donnerait cent. Lui, prenant son ton le plus indigné, n'avait pas marché. Là-dessus, ils le menacèrent d'incarcération, histoire de le convaincre du sérieux de la situation. Retranché dans son arrogance, il les avait insultés.

« Insulte à agents » est, en Thaïlande, un délit grave. Daniel voulait se faire croire que ce n'était qu'un prétexte supplémentaire pour recevoir une rançon consistante. J'aurais aimé en être aussi sûr que lui...

Gentiment, j'ai demandé au planton de service une entrevue avec le capitaine de la police-

10

station. Ainsi qu'il fallait s'y attendre, il n'était pas là et, comme de toute façon je ne devais pas avoir assez d'argent sur moi, j'ai décidé de revenir le lendemain. Le planton allait me fixer un rendez-vous, le capitaine serait là.

En lui faisant passer la nourriture, j'ai rassuré Daniel et, quand le flic, après avoir vaguement fouillé le paquet, lui a remis le bouquet de fleurs, les détenus ont tous applaudi. Il nous fallait partir. Emu, Daniel nous a envoyé un baiser de la main : « A demain », « A demain ! »

Dans le taxi qui nous ramenait à l'hôtel, mélancolique, je me suis laissé prendre par les souvenirs. Le Québec, Montréal, ma rencontre avec Daniel et les trois années qui ont suivi.

J'avais vingt et un ans. Etudiant à l'UQAM de Montréal, j'avais quitté la France deux ans auparavant pour aller chercher, sur le nouveau continent, une autre forme de culture que je croyais moins académique, des études plus proches des réalités. Ça s'était révélé un fiasco.

Au début, j'ai fait psycho. Etudiant libre, ne bénéficiant donc pas de bourse, j'ai dû accepter un job de nuit dans un centre de rééducation pour caractériels. Ce boulot me prenant six nuits sur sept, je m'étais arrangé pour pouvoir potasser mes cours et dormir un peu pendant qu'un infirmier assumait la permanence.

Je travaillais illégalement : je n'avais pas le statut d'immigrant si bien que le directeur du centre exploitait la situation et ne me payait que cent dollars par semaine. Une misère en Amérique du Nord, mais pour le peu que je faisais... et puis ça me permettait tout de même de bouffer. Je suis resté un an comme ça, avec mes cours et mon job, cahin-caha, jusqu'au jour où j'en ai eu marre et de la psycho et de mon boulot. Je venais d'atteindre ma majorité et j'avais le sentiment de me « frustrer de mes meilleures années » pour quelque chose en quoi je ne croyais pas. Bientôt, j'aurais une licence et une profession insipide — en admettant que je puisse l'exercer — jusqu'à la fin de mes jours. Un avenir déjà moribond étalé sur un brancard... En faisant le bilan, ça ne valait peut-être pas le coup de continuer. Mais je manquais d'argent. Alors, en bon comptable de ma vie, j'ai essayé d'équilibrer la balance en trouvant un nouveau travail.

Je suis devenu prof de français pour immigrants italiens, trois heures chaque après-midi. J'hésitais trop à m'inscrire en fac pour la session d'octobre, et quand je me suis décidé, il n'y avait plus de place en psycho. J'ai dû attendre janvier pour m'inscrire en sexologie, à temps partiel. De toute manière, la psychologie telle qu'on me l'avait enseignée ne me satisfaisait plus, et plus j'y pensais, plus j'avais l'impression d'avoir perdu mon temps.

Six mois entre ciel et terre ; la fac le matin, les ritals l'après-midi. Puis j'ai laissé tomber l'UQAM et, après, mon boulot. J'étais prêt pour autre chose, quelque chose qui ait un goût !

Drop-out pendant un moment, j'ai traîné mes guêtres à Montréal dans les bars de la rue Saint-Denis où je m'étais fait des amis parmi les gens de *Mainmise*, un journal underground — disparu aujourd'hui — qui se cassait la gueule après cinq ans de succès.

Tous ces journalistes travaillaient comme des dingues pour faire subsister leur mensuel. Ils prenaient de la coke pour ne pas s'endormir sur leurs papiers. J'en prenais avec eux. Pour moi, comme pour tout le monde, en Amérique du Nord, la coke, non « addictive[1] », n'était pas une drogue. Nous nous faisions une « ligne » de temps en temps, sans pour cela être des « dopés ».

Bref, les choses se sont passées comme ça, sans heurts, et sans violence. De désillusion en désillusion, je suis arrivé à un refus, à préférer le présent à un avenir aménagé, une certitude à un futur improbable.

A cette époque, j'habitais avec Dominique, une Française qui venait de vivre une année idyllique au Guatemala. En transit à Montréal, elle économisait son argent dans le but de retourner en Amérique du Sud. « Et pour y rester ! » disait-elle.

Un soir d'août, où nous étions assis à la terrasse d'un café, rue Saint-Denis, discutant de tout et de rien, un type à l'allure complètement anachronique, la démarche chaloupée, s'est dirigé vers notre table. Avec son costard 1930, ses godasses blanches, ses cheveux gominés brillant sous un borsalino posé de côté, la moustache soigneusement crayonnée dans un souci de perfection, il avait l'air de s'être échappé des archives hollywoodiennes. Cette apparition un peu trop guindée

1. *Addictive* : qui crée une dépendance de (l'anglais *addict*).

a baisé la main de Dominique qui l'a invitée à s'asseoir à notre table et nous a présentés. Il s'appelait Daniel. Provocateur, il a rectifié : « Baron Daniel ! » avec un sourire.

A Montréal depuis six mois, il travaillait dans un bordel-sauna pour pédérastes friqués. Ce personnage revendiquant ouvertement son homosexualité m'a séduit. Ce type de mon âge était déjà quelqu'un, moi je n'étais personne, et il me fascinait.

Daniel avait quitté la France à dix-sept ans, au lendemain même de son bac, pour l'Asie. Après maintes péripéties il est devenu prof de français au Laos, où il a vécu jusqu'à l'arrivée des communistes qui l'ont, manu militari, balancé dans un camion pour l'expulser vers la Thaïlande. « Heureusement, disait-il, sinon je me serais accroché à l'héroïne, la perdition des gentlemen... ahahah ! » Là-dessus, il reste à Bangkok quelques mois, puis, via Moscou — où il passe, par curiosité, une semaine — il rentre en France.

De nouveau déçu par notre beau pays, il décide de partir pour les Etats-Unis. A New York, son passeport trop chargé, décoré d'un visa laotien et d'un autre soviétique, les Américains ne jugent pas prudent de le laisser pénétrer sur leur sol. Daniel s'est donc rabattu sur le Canada et voilà pourquoi, un jour, nous nous sommes rencontrés à Montréal...

Dominique, serveuse dans un bar de la rue Peel, a dû partir. Daniel et moi nous sommes restés à discuter de nos vies toute la soirée. Philosophes, nous avons refait le monde... « Un peu de dialectique et tous les concepts qui étayent notre civilisa-

14

tion et ses libertés en vase clos s'écroulent... Ces concepts qui nous écrasent — car ils nous écrasaient — et nous font tout accepter. »

Plus nous parlions, plus nous nous exaltions.

« En fin de compte, en grattant un peu, la peinture humaniste s'écaille et il ne reste plus que l'instinct de domination. L'intérêt égoïste et le pouvoir du fric. » Nous en avions assez d'être des victimes, nous nous sommes dit qu'au choix il valait mieux être possédants que possédés. Nous n'étions pas masochistes...

En bons adolescents attardés de notre époque, dans notre naïveté, nous avions longtemps cru à la révolution contre-culturelle et à l'ère nouvelle qui allait suivre. Puis, pareils aux autres, nous nous étions rendu compte que, sous les cheveux longs, c'étaient les mêmes personnes et que le monde continuait son petit bonhomme de chemin en ricanant chaque fois qu'il nous voyait.

Désabusés, nous avions tenté de comprendre, moi en faisant des études, Daniel en voyageant alors que nous attendions qu'il se passe quelque chose.

« Et cette fois-ci, on leur laissera pas décrocher les wagons en route ! »

Pour user d'une métaphore, nous avions attendu un train express sur le quai d'une gare, en étudiant le plan du métro. Et comme l'express n'est jamais arrivé parce que la gare était désaffectée, que Daniel était assis sur le banc en face du mien, que nous avions tous les deux l'air de poireauter pour des peanuts, qu'il faisait beau dehors et que, d'autre part, le désespoir mène soit au suicide soit à la Légion étrangère, nous avons

15

fait un compromis, ce soir-là, optant pour la fuite en avant : toujours en avant, sans se retourner. Pas fous les mecs !

Trêve de philosophie de comptoir, il fallait s'occuper l'esprit. Nous étions idéalistes, doués, passionnés, avec l'horreur de l'attente stérile, avec une espèce d'impatience inquiète de créer autre chose que des gosses à nourrir et des étagères en bois à bricoler le dimanche. Nous nous débattions au milieu des clichés.

Nous voulions autre chose. Nous aimions le cinéma. Nous avons décidé que l'autre chose serait le cinéma. Aussi simple que ça. Il suffisait d'être logiques. Ce qui était illogique, nous l'avons résolu par notre logique : nous n'avions jamais vu une caméra de notre vie et moi, un môme du Lumpenproletariat, je n'avais même jamais touché à un appareil photo.

« ON VERRA BIEN ! »

Bref, nous étions irréalistes mais pleins d'espoir. Heureux !

Dialecticiens, pour nous, ce rêve, cet infantilisme conscient, était notre voie céleste, notre qualité suprême et rien n'aurait pu nous enlever cette idée de la tête : **ON FERA DU CINEMA !** Et « notre » cinéma, on ira le chercher ailleurs.

A ce moment de la nuit, ce qui n'était encore qu'une sorte de fantasme est devenu une décision irrévocable... Quand Daniel m'a avoué que c'était pour faire ma connaissance qu'il était venu s'asseoir à notre table, ça m'a fait presque plaisir...

« ON VERRA BIEN ! »

Nous nous sommes mis d'accord pour foutre le camp : « Dans une semaine au plus tard et adieu la civilisation ! » ; « On va partir et on se démerdera comme on pourra ! » Le pas était fait.

Nous étions un peu juste, j'ai dû emprunter à Dominique, à des amis, et un jour, aspiré par l'œil du typhon, je me suis retrouvé à Mexico City avec le Baron Daniel.

Début d'une aventure splendide à travers l'Amérique du Sud.

Notre saga sud-américaine devait aboutir à Santa Cruz, plaque tournante de la cocaïne en Bolivie. Il ne nous restait plus beaucoup de fric et Daniel avait dû être hospitalisé pour une pleurésie mal soignée qu'il traînait depuis La Paz. On était piégés ! L'idée de retourner à Paris pantois et résignés en oubliant nos projets nous semblait intolérable. Nous nous étions trop investis dans notre rêve pour faire demi-tour au moindre écueil. Alors, animés par la même passion romantique qui nous avait projetés dans l'aventure sud-américaine, nous avons brisé la dernière barrière, celle de la légalité.

La cocaïne se trouvait là, innocente et banale, autour de nous, il suffisait presque de se pencher pour la ramasser... Avec l'argent restant, nous en avons acheté un paquet.

Je suis arrivé à Montréal, la coke à l'intérieur de mes chaussures, mû par le sentiment épique du gladiateur solitaire défiant l'univers. Dans ma tête, la rage de vaincre et de survivre envers et contre tous.

Une semaine après, j'avais vendu la marchandise et rencontré Laure... Laure, l'autre moi-même que, depuis vingt-deux ans, je cherchais. Je suis allé à Lima avec elle. Daniel nous y attendait.

Nous fûmes alors trois puis, plus tard, cinq, à former cette troupe enthousiaste qui bientôt est devenue ce que les juges appelleront « une organisation ». Nous n'avions pas oublié notre but initial : faire un film. Et la cocaïne que nous avons continué à vendre allait servir à le financer... Mais nous en consommions beaucoup, en faisant semblant de ne pas le voir. L'argent vite gagné était aussi vite dépensé et, petit à petit, l'idée du film devint un prétexte, allant se dégradant, une simple image, sécurisante.

Février, un an plus tard, nous retournions à Paris. Pas par nostalgie, nous avions oublié la France, mais par curiosité, pour faire le point, le constat de trois années d'un bel exil. C'est à Paris, aussi paradoxal que cela puisse paraître, que j'ai rencontré l'héroïne. Ça s'est fait comme ça, sans que je m'en rende compte, sans méfiance de ce qu'était cette saloperie, cette poudrerie implosive.

Comment j'en suis arrivé à l'héroïne ? Comme les autres... Pour moi, c'était de la poudre, au même titre que la coke. Depuis l'âge de dix-sept ans, j'avais touché aux drogues dites douces : haschisch, psylo, mescaline, etc. Et j'étais aussitôt blasé. Je voulais plus, encore plus. Je voulais quoi ? Je ne le sais toujours pas. Un refuge ? La schizophrénie comme refuge ? La mort ???

Dans cette attraction pour les drogues, cette recherche d'un autre état de moi-même, cette

« politique de l'extase », je suis parvenu à un carrefour de l'existence où m'attendait...? Shoo-ter deviendra la roulette russe !

Je me souviens d'une rue du 4ᵉ arrondissement, de la pluie, et des manteaux gris qui se croisaient puis disparaissaient dans une gueule qui s'appelait Bastille et un peu plus loin seraient crachés par une autre gueule qui s'appellerait Châtelet.

Je marchais. Il faisait froid, d'un froid qui se cristallisait sur mes os et je suivais le long de ma mémoire le circuit souterrain reliant ces gueules et leur chaleur qui me tentait. Je savais qu'il faisait doux dans le métro où il y avait d'autres « comme moi », mais je n'y suis pas entré.

Pourtant, c'est le désir d'une autre chaleur qui m'a aspiré. Je suis rentré chez moi, j'ai entendu un robinet couler dans la cuisine. Daniel était là, assis sur le carrelage. Il se préparait un fix[1]. Je me suis dit : « Le Baron retrouve ses bonnes habitudes laotiennes. » Il y avait de la provocation dans son regard.

J'éprouvais une sorte d'attirance-répulsion pour la shooteuse. Mais, à ce moment précis, j'ai été content que Daniel soit là, parce que j'étais seul. Son fix terminé, il m'a proposé « un petit shoot ». Il avait l'air tellement soulagé, irradiant d'amour, de reconnaissance pour le sachet de poudre qu'il tenait dans sa main que, je ne sais comment — il y a un blanc dans ma mémoire — ni pourquoi, je me suis retrouvé quelques minutes plus tard dans l'état euphorique, orgasmique, qu'apporte le fix. J'avais fait mon premier shoot

---

1. *Fix* : piqûre, injection, shoot.

et appris ce qu'était le bonheur, bien plus que le bonheur, un état qui résume à lui seul tous les petits bonheurs de toute une vie. Un état qui dépasse l'entendement.

Au moment de ma première piqûre, je ne savais pas que je manipulais une bombe qui allait bientôt me brûler comme du napalm.

J'ai fait d'autres fix en essayant de retrouver la satisfaction formidable du premier shoot, celle qui marque, celle que l'on recherche sans cesse dans la progression vers le bas qu'est la vie dans la dépendance de l'héroïne.

Sans m'en rendre compte je suis devenu addict et, pareil aux autres addicts, j'ai atteint le stade où, par le biais sensuel d'une quête métaphysique du bonheur, l'héroïne devient très vite, l'espace d'une dizaine de fix rapprochés, une réponse, la seule réponse, à un réflexe physiologique qu'elle a elle-même créé : le manque.

Comment sommes-nous arrivés à Bangkok ? Concours de circonstances ? Peut-être. Ou alors l'héroïne et son emprise nous y ont conduits. Je ne saurais répondre. Ce qui est certain, c'est que durant notre séjour à Paris, notre passion pour l'Amérique du Sud s'est dissipée. Notre première idée avait été de retourner en Bolivie mais, petit à petit, ce projet a semblé trop étroit.

Quand le copain qui nous prêtait son appartement est rentré de vacances, il nous a fallu disparaître. La vie à Paris était trop chère, la dope surtout, qui engouffrait notre petit magot bolivien. Nous devions faire retraite. Daniel connaissait bien l'Asie du Sud-Est : nous sommes partis pour la Thaïlande. Et c'est, bien sûr, à Bangkok que tout a dégénéré. Irrémédiablement l'héro nous a bouffés.

Le taxi arrivait à l'hôtel. Je m'en suis aperçu quand il a stoppé. Retour au présent à travers l'espace-temps. Demain, j'irais tirer Daniel de son oubliette et nous quitterions ce pays. Sortir de la mélasse et repartir pour le Pérou. Mélancolie. Rentré dans ma chambre, absurde, j'ai fait un fix en me promettant : « Celui-ci c'est le dernier. » On se dit toujours que c'est le dernier.

Le lendemain, vers quatorze heures, je suis revenu à la police-station de Lumpini, avec, en poche, mille cinq cents dollars pour faire annuler l'accusation retenue contre Daniel.

Arrivé à destination, un flic m'a fait « non » de la tête en m'expliquant que le Baron avait été conduit ce matin au tribunal.

Après une demi-heure de recherche à travers le labyrinthe des corridors du palais de justice, j'ai trouvé Daniel dans une cage, au rez-de-chaussée, au milieu d'une centaine de Thaïs. Il m'a fait savoir qu'il serait transféré le soir même à la prison de Mahachaï mais qu'il était possible de payer une caution pour sa libération provisoire. Deux heures auparavant, un avocat ceylanais, qui faisait de la retape parmi les Occidentaux, s'était présenté devant ses barreaux. Le type affirmait être envoyé par l'ambassade de France et assurait que, pour mille dollars, il obtiendrait une liberté cautionnée. Daniel lui avait parlé de moi et Visvassam, c'était le nom de l'avocat, avait laissé sa carte de visite afin que je le contacte entre 18 et 20 heures.

Vers 16 heures, le Baron a été emmené et c'est négligemment qu'il m'a crié :

— T'inquiète pas, la Thaïlande c'est comme partout, il n'y a que le fric qui compte !

Là-dessus, je suis parti.

J'avais l'âme vagabonde. J'ai décidé de rentrer à pied en traversant China-Town. La chaleur était moins lourde. C'était à cette heure-là que les gens de la nuit apparaissaient, que l'humanité asiatique sortait de sa torpeur pour monter à l'assaut du soir. A Bangkok, l'obscurité était entièrement réservée aux plaisirs.

A cette époque, le monde de la luxure mercantile débutait tôt : il fallait faire son beurre avant une heure du matin, avant le couvre-feu imposé par le général Kriangsak. C'était un spectacle fantastique de voir la faune nocturne se répandre en un instant, comme si elle avait attendu toute la journée un signe, un claquement de doigt divin, pour se montrer. Cachée jusque-là derrière les tentures des commerçants chinois, dans les arrière-boutiques crasseuses, elle s'écoulait maintenant, pot de peinture fraîche sur la sueur grasse des rues.

Dans les effluves de riz frit évoluaient la multitude des putes embaumées, bardées de cuir, les légions de travestis satinés, suivis par leurs souteneurs à grimaces, et puis les autres : les innombrables pickpockets, pushers[1] et tueurs qui envoûtent les étrangers en mal d'exotisme et de sensations violentes. Tous ces protagonistes se dirigent, tels des automates, vers Patpong pour un banquet de néons, d'amours à la carte, de perversités avouées, de fantasmes réalisés.

Chaque nuit, ils vont au même rendez-vous et chaque nuit, les partenaires sont là, les adeptes des cultes charnels et aussi les toujours plus nombreux hommes-Kodak. Ces farangs[2] qui, chaque année, repartent pleins de désolation nostalgique pour revenir avec leur nouvelle caméra alibi, encore plus disposés à toutes les « perditions American Express ».

Bangkok s'installait pour une autre nuit. J'ai marché une heure dans la frénésie, dans l'inondation des corps, jouant des coudes pour progresser. Il était cinq heures quand j'ai atteint Silom Road enfumée, pétaradante des milliers de moteurs furieux qui rentraient chez eux. J'ai trouvé un « tuk-tuk », moto-taxi à l'allure préhistorique, et je suis arrivé peu après à mon hôtel, la tête vrombissante de gaz d'échappement.

Dans ma chambre, j'ai attendu un moment avant de téléphoner à Visvassam. Le ton enjoué de l'avocat m'a rassuré. Il était certain de son affaire : Daniel serait libéré incessamment contre mille dollars. « *Don't worry I take care of him!* » Je devrais apporter cet argent au consul de

1. *Pusher* : petit vendeur de drogue.
2. *Farang* : étranger.

France. « *He is a very good friend of me !* » Et plus tôt l'argent serait disponible, plus tôt le Baron serait libre. « Au revoir ! — Au revoir ! » Tout avait l'air très simple, réglé comme une partition.

Le lundi suivant, j'ai remis la somme convenue audit consul.

L'élégant diplomate, informé par Visvassam de ma venue, a encaissé l'argent contre un reçu. Les choses allaient pour le mieux dans le meilleur des mondes. Daniel sortirait sous peu.

Laure et moi sommes allés le voir à Mahachaï pour lui annoncer la bonne nouvelle. Nous étions un peu en retard : les visites, dans un quart d'heure, se terminaient.

Le hall d'entrée où nous devions laisser nos passeports était vide. Derrière une première grille restée ouverte, un garde à deux barrettes, écroulé sur un pupitre, était installé pour tirer les trois dernières heures de sa journée de travail dans l'autosatisfaction.

A notre approche, il lève vaguement une paupière fatiguée, entrouvre sa face mal rasée et lâche un laborieux : « *Too late come tomorrow.* »

Puis sa paupière retombe. Il n'a pas l'air enthousiasmé de nous voir. Je lui glisse un billet de cent baths sous le coude qui soutient sa tête. Avec un « hum... » d'approbation, il se dresse, empoche le fric et puis, pour bien montrer que le problème est délicat, il reste debout, comme s'il hésitait. Enfin il dit : « *Not too long.* »

Faut pas en demander trop, c'est pas pour un billet de cent baths qu'il va s'exciter et il part en traînant la savate, gueulant le nom de son larbin : « Somchaï ! » Somchaï arrive, rachitique, humblement se casse en deux, pendant que son boss lui bave dessus. Et on voit Somchaï, transmué par l'importance de sa mission, repartir au galop, figurant à lui seul, par sa fougue, un cheval caracolant et son cavalier.

Somchaï n'a pas failli à son devoir : il a ramené Daniel et nous avons pu parler avec lui une dizaine de minutes. Blafard sous sa barbe de dix jours, les yeux injectés de sang, il n'a rien mangé depuis une semaine.

— C'est l'enfer là-dedans.

Il tombe en larmes.

— Putain, Armand, il faut que tu me sortes d'ici !

Nous lui faisons passer la bouffe que nous avons apportée. Il engouffre un paquet de bananes, juste le temps de nous expliquer que sa caution a augmenté de cinq cents dollars. La visite est terminée. Un garde reconduit le Baron qui s'efforce d'être aussi digne qu'il le voudrait.

Les tractations ont encore traîné une quinzaine de jours. De plus en plus, Visvassam se révélait être un escroc — en fait d'avocat, il était interprète d'une vague agence d'import-export. Daniel, que nous allions voir deux fois par semaine, s'accrochait à l'espoir de sa libération.

Finalement, après m'avoir soutiré cinq cents dollars de plus, le pseudo-avocat a payé la caution et, un soir, vers neuf heures, Daniel est sorti.

Nous l'attendions devant Mahachaï avec Visvassam, que je tenais en quelque sorte en otage. Il comprenait que je me méfiais de lui et n'a pas osé me demander d'honoraires supplémentaires. Puisque l'histoire finissait bien, nous

nous sommes séparés en bons termes. Il était préférable que Daniel fuie le pays rapidement ; Vivi — c'est ainsi que nous le surnommions —, avant de nous quitter, nous a proposé ses services pour récupérer le passeport gardé par la police. J'ai promis de lui téléphoner.

Daniel a trouvé un hôtel dans China-Town où il ne met jamais les pieds. Nous nous efforçons de le remonter. Quelque chose en lui a craqué et l'optimisme que je lui ai toujours connu fait place à une gravité anxieuse. La prison l'a marqué davantage que nous ne l'avions pensé. Il n'a plus la même démarche. Le dos arqué, il semble hésitant, justifiant constamment ses actes. Parce qu'ils nous inquiètent trop pour les accepter, nous qualifions d'abord son attitude maussade, son malaise continuel, de « parano ». Daniel est devenu « parano » et, par la magie du verbe, son comportement nous paraît moins grave.

Une dizaine de jours passe dans l'attente d'une réponse de Vivi à qui j'ai demandé d'organiser le départ de Daniel. Le Baron a décidé de quitter le pays avec de la poudre : il y est déjà trop accroché pour retourner en France sans en emporter avec lui. Rodney et Yves, deux Français qui se sont joints à notre groupe ont décidé de l'accompagner, si bien que, restant seuls en Thaïlande, Laure et moi devons effectuer l'achat de la marchandise.

C'est ce que nous faisons le 24 août, après un coup de téléphone de Visvassam annonçant que tout est prêt : il a trouvé un passeport et Daniel, sauf imprévu, partira le lendemain à 11 heures.

A Bangkok, les bonnes adresses sont rares, elles se vendent au prix fort. Les plus proches du producteur sont les meilleures, évidemment, parce que la dope coûte moins cher. Les risques aussi sont moins gros, le dealer gagne assez d'argent pour se couvrir et ne pas avoir besoin de dénoncer ses clients pour toucher une prime.

L'adresse de celui chez lequel je suis allé avait été achetée deux cents dollars à un copain de Rodney, un Suisse d'une trentaine d'années, installé à Bangkok depuis cinq ans, pas junkie, « un type sérieux ». Le Suisse m'avait remis une lettre d'introduction. L'adresse se situait dans un *soï*[1] de l'extrémité de Sukhumvit, à la sortie de la ville. Un bungalow en bois. Un taxi m'a déposé à l'entrée de ce soï, j'ai continué à pied.

En fait de bungalow, c'est une baraque en planches, dont deux fenêtres, d'un côté, ont leurs volets fermés. L'intérieur se compose d'une seule pièce qui ouvre sur un terrain vague, par une porte cachée derrière un rideau de coton bariolé. Sur le plancher à moitié couvert par un tapis usé, sans couleur, une dizaine d'haltères, des petites, des grosses et des moyennes, donnent un corps à l'odeur de sueur rance qui règne ici et qu'on rencontre plutôt dans les salles de sport mal aérées. Elles sont rangées en ordre décroissant entre le mur opposé à la porte et un banc sur

---

1. *Soï :* petite rue.

lequel se trouve un extenseur musculaire. Au milieu de la pièce, sous une ampoule nue, une table se détache, coincée entre deux chaises en métal gris. Sur cette table, il y a une bouteille au ventre bombé et deux verres. Il fait chaud. Au coin gauche du mur d'entrée, un petit ventilateur à pied est démonté.

Je viens d'être reçu par un grand vieillard en blue-jean et maillot de corps. De toute évidence ce n'est pas le dealer, le Suisse me l'a décrit petit, costaud, et âgé d'une quarantaine d'années à peine. Le vieux a tiré le rideau aussitôt qu'il a entendu mes pas monter les trois marches en bois qui donnent accès à la baraque, et m'a invité à entrer rapidement : mieux vaut qu'on ne remarque pas un Blanc dans les parages. Le type semble pourtant décontracté. Avant que je lui tende la lettre, il s'était excusé en me passant négligemment les mains sur le corps pour vérifier que je ne portais pas d'arme. Alors, il avait eu un sourire en m'invitant à m'asseoir à la table.

« Juste un moment. » Il est sorti, me laissant seul.

Une dizaine de minutes après, il réapparut avec celui qui était le dealer. Nous nous sommes serré la main. Le Suisse l'avait prévenu de ma visite. Sur un ton anecdotique il m'a demandé si j'avais apporté une balance.

— Oui, j'en ai une !

— Parfait !

Il n'avait que deux qualités à me proposer. A Bangkok, on ne trouvait plus de « W-O-Globe », la meilleure. Mais il lui restait quand même de la « Dragon » et de la « Lion », en paquets scellés de

350 grammes. De la très bonne qualité aussi. Le paquet de Dragon coûtait 1 800 dollars. Je n'en voulais qu'un.

Un seul ? Il a eu l'air déçu...

Le deal terminé, la dope dans un sac de papier brun, je suis rentré avec la prémonition, plus intense à chaque mètre, d'aller à la catastrophe.

Le dealer m'avait fait une étonnante ristourne sur le prix, que je n'avais même pas discuté. Comme s'il tenait avant tout à ce que j'emporte cette poudre. Ce comportement inhabituel chez un vendeur d'héroïne m'avait, sur le coup, simplement surpris. Quand on fait du deal, on est, chaque fois, confronté à ce genre de situation où il faut pourtant, à un moment donné, dissocier ce qui est un risque réel de ce qui ne l'est pas... Puis, le chauffeur de taxi qui m'avait raccompagné m'avait observé tout le long du trajet avec une curieuse insistance, me jetant dans le rétroviseur des regards furtifs. J'essayais de me raisonner en mettant ça sur le compte de mes fantasmes, de mon sentiment de culpabilité. Peut-être même était-ce mon malaise qui incitait le chauffeur à la méfiance. Peut-être était-ce tout simplement un type curieux de l'exotisme occidental que je représentais pour lui ? Ou peut-être...

Toutes ces questions auxquelles il y avait mille réponses possibles me rendaient encore plus confus. Une fois à destination, après avoir posé le paquet d'héroïne entre mes pieds, j'ai engagé la conversation avec le réceptionniste de l'hôtel, tâchant de dépister un éventuel piège policier dont le personnel, ici, aurait obligatoirement fait partie. Ça se passait toujours comme ça, je le savais. Des tas d'histoires d'arrestations circulaient dans les hôtels habités par les Occidentaux. Le réceptionniste arborait sa correction impersonnelle, il m'était impossible de déceler quoi que ce soit d'anormal dans son comportement. Pas rassuré, j'ai rejoint ma chambre où m'attendait Laure. Nous allions passer la moitié de la nuit à conditionner la dope.

On en avait tous marre et c'était la dernière fois qu'on faisait un deal. On a décidé ça à l'unanimité.

Je me sens inquiet, et Daniel, affalé sur un lit, rétracté, dans une espèce de transe malsaine, ne me donne pas confiance. J'ai hâte qu'il s'en aille ! Il ne peut plus supporter l'attente, et sa présence est une perpétuelle menace pour nous tous. Alors qu'il devrait rester à l'écart pour nous préserver de la police qui aurait des raisons de le surveiller, il nous impose son flip. On dirait qu'il attend notre naufrage.

Depuis quelques jours, il divague sur notre incapacité à l'avoir sorti plus tôt de prison. Dans ses discours, il y a toujours une accusation informulée. A plusieurs reprises, j'ai essayé d'entamer un dialogue avec lui mais il refuse la conversation. Il ne se lave plus, sa barbe qu'il ne rase pas déforme son visage, il a perdu sa coquetterie. D'autre part, et c'est le symptôme le plus explicite de sa volonté d'autodestruction, il shoote désormais plus que de raison — si la raison a quelque chose à voir là-dedans. Régulièrement, après son injection, il s'écroule, comateux, sur sa chaise, la shooteuse pleine de sang encore plantée dans le bras. Plusieurs fois aujourd'hui on a dû le gifler et lui faire des massages cardiaques pour le sortir de l'overdose.

Vivi vient de retéléphoner, confirmant que tout est définitivement prêt pour le départ. Nous sommes soulagés. Le passeport acheté au marché noir est, paraît-il, parfait, il ne reste plus qu'à faire actualiser le visa. Simple formalité d'après Vivi, qui a pris les dispositions nécessaires avec un officier de l'immigration pour qu'elle soit effectuée dès demain matin.

En début de soirée, nous nous demandons si Daniel doit ou ne doit pas partir avec de l'héroïne. Il insiste pour en emporter, son argument est infaillible : mieux vaut, pour lui, prendre le risque de passer la douane avec de la poudre que de rentrer à Paris en manque, les poches vides, et de casser alors une pharmacie pour s'alimenter...

Daniel est entré dans la salle de bains, il me fait un signe pour me demander de venir le rejoindre. Il parle à voix basse, rapidement : il n'apprécie pas son départ avec Yves et Rodney. Il veut s'en aller seul demain matin. Nous retournons dans la chambre. Il s'assied maintenant sur le lit et tourne le dos au reste de la pièce, face à la fenêtre, au travers de laquelle il ne regarde pas. Atone, il se met à parler sans discontinuer. Un monologue où il ne me laisse pas le temps de répondre et qui me file le cafard. Je sens pointer l'éternelle accusation. Sur le même ton, il ajoute : « J'en ai marre, c'est bien la dernière fois que je fais un deal. »

Moi aussi j'en ai marre. Mais je n'ai pas le cœur

à argumenter avec lui. Son aigreur se développe sur le même rythme lancinant, à travers le même thème toujours répété, celui de l'Amérique du Sud, de la joie qu'on avait connue là-bas. Alors que nous pressons l'héroïne dans cette chambre d'hôtel asiatique insipide où cinq déracinés élaborent un destin devenu morbide, l'évocation de ses souvenirs a, pour Daniel, un autre sens que celui de consulter l'album de photos nostalgiques que nous brinquebalons derrière nos yeux. Outre son constat d'échec, il a besoin de nous communiquer son désarroi. Mais nous refusons de le prendre en charge.

En Amérique du Sud, c'est vrai, notre existence avait un autre but que celui de trouver de la poudre pour le lendemain. Notre vie était plus saine et le business, pour nous, était encore un jeu. Nous avions peu de moyens, et, prudents, nous nous efforcions de compenser notre inexpérience par une vigilance accrue. Tout était minutieusement préparé dans l'enthousiasme et nous étions différents parce que la situation n'était pas la même. Aujourd'hui, nous sommes en Thaïlande, au pays de la délation institutionnalisée, accrochés à l'héroïne. Bien sûr, la vie là-bas n'était pas aussi simple que ça, mais les dangers étaient à notre dimension, prévisibles..., ils pouvaient aussi bien nous menacer à Paris. La Thaïlande est un pays marécageux, incertain, où tout le monde dénonce tout le monde ! Par vengeance, par intérêt, par jalousie ou même par tradition ! Chacun y est suspect : si le réceptionniste de l'hôtel remarque que vos pupilles sont contractées, il va aussitôt évaluer le profit qu'il peut tirer d'une telle constatation. Si, par exemple, on a une nouvelle paire de bottes qui lui plait, ce réceptionniste qui fait une multitude de sourires amicaux quand on lui demande la clé — sans hypocrisie, c'est un état d'esprit — va aller proposer ses services à la police. D'une façon indirecte, tout en nuances et en sous-entendus, sans haine, il va suggérer aux flics qu'à son hôtel il y a un farang riche et drogué — ils vont tout de suite comprendre qu'il y a du fric à gagner — qui porte une belle paire de bottes... Et, tout ça, avec tant de candeur rituelle que les flics vont lui promettre les jolies bottes du farang pour cet admirable acte de civisme... à condition qu'ils trouvent un minimum d'héroïne dans sa chambre. Ils le remercieront avec un sourire qui est une menace — il y a un code du sourire ; celui-là, en l'occurrence, veut dire :

« Mieux vaut pour toi qu'on ne se déplace pas pour rien. Fais en sorte que nous trouvions dans la chambre de quoi coffrer le farang ! »

Toujours sans haine ni mépris, avec indifférence, le réceptionniste, alors qu'on est sorti, va dissimuler dans la chambre un petit paquet d'un demi-gramme d'héroïne. Trois jours plus tard, il se pavanera avec une belle paire de bottes aux pieds...

Depuis neuf heures du soir nous travaillons comme des damnés pour presser trois cents grammes en paquets de trente à quarante grammes. Plus nous nous enfonçons dans la nuit, plus l'atmosphère de la chambre devient épaisse.

Daniel est exaspérant. Hypertendu, sursautant au moindre son, il nous communique son anxiété. Incapable de nous aider à la confection des paquets, il est toujours prostré sur le lit, aux aguets du moindre bruit insolite. Le klaxon d'une voiture résonne par-dessus le bourdonnement de la rue, des bruits de pas claquent sur le carrelage du couloir, et il se dresse, figé, la bouche ouverte, le regard fiévreux, dément.

— Vous avez entendu ?

Personne ne répond ni ne lève la tête mais la tension s'amplifie. Puis les pas s'éloignent, et Daniel retombe dans son demi-sommeil hypnotique. Quelques instants plus tard, il cherche une cuillère pour se préparer un énième fix. Chacun veille du coin de l'œil à ce qu'il n'en prenne pas trop.

— Juste assez pour qu'il ferme sa gueule, murmure Rodney.

Une demi-heure de répit et l'inquiétante comédie recommence. Cette fois, une voix résonne dans la cour intérieure, un appel. Daniel se dresse, tétanisé. Laure soupire.

Conditionner la dope, entassés tous les cinq dans cette piaule exiguë, est une gageure mais les circonstances nous ont pris de court. Il faut que tout soit pressé rapidement par sécurité (la poudre en grain est difficile à dissimuler en cas d'intervention policière). Il faut surtout que Daniel, avec ces paquets, puisse rejoindre, avant le couvre-feu, son hôtel situé à deux pas des bureaux de l'immigration où il se rendra dès leur ouverture. Il doit partir demain !

Je me maudis de ne pas avoir loué un appartement. Bien que cette chambre soit située dans un corps de bâtiment très en retrait par rapport à l'entrée de l'hôtel, elle n'est pas sûre. Il est toujours dangereux ici, où les hôtels foisonnent d'indicateurs, d'avoir de l'héroïne dans sa chambre. La seule garantie que nous ayons, c'est que la police, si j'ai été donné ou suivi, viendra directement chez moi puisque c'est moi qui ai acheté la poudre. Or nous nous sommes installés chez Yves pour le pressage et il n'y aura rien de compromettant dans ma chambre cette nuit.

Il fait terriblement chaud car nous avons arrêté le ventilateur qui faisait s'envoler la poudre. Le silence est lourd depuis que le bourdonnement des pales s'est tu. La nuit est déjà tombée depuis longtemps, bientôt le couvre-feu, les voitures deviennent plus rares dans Sukhumvit Road. La chaleur est oppressante, nous sommes torse nu, et les rideaux tirés, pour qu'on ne puisse pas nous voir de l'extérieur, amplifient encore l'impression d'entassement, d'étouffement. Voilà trois heures que nous sommes là !

Il est une heure du matin, le couvre-feu est installé dans Bangkok, et je réalise que Daniel n'est pas parti ! Depuis qu'il ne parle plus, qu'il s'est résigné à ne plus nous faire partager son angoisse, j'ai oublié sa présence. C'est idiot, ses paquets sont prêts depuis longtemps et il aurait dû, comme prévu, rejoindre son hôtel. S'il ne se présente pas à neuf heures du matin à l'immigration pour faire valider son passeport, il ratera son avion.

Je l'appelle mais il a fermé les yeux et ne répond pas. Réfugié derrière ses paupières, il est trop défoncé pour comprendre quoi que ce soit et je n'insiste pas. Il passera donc la nuit ici, Yves, pour plus de sécurité, ira dormir chez un copain, dans une aile de l'hôtel perpendiculaire au bâtiment où nous sommes.

Dans cette piaule-sauna, l'odeur de poudre qui s'évapore envoûte nos esprits, enrobe nos gestes, et la lassitude alourdit nos visages. Absorbés dans une même langueur, un rythme toujours répété de mains qui plongent dans un sac en plastique, notre travail paraît interminable. Il s'agit de verser une cuillerée de poudre dans un tube et, après, chaque fois, d'y enfiler une barre d'acier du même diamètre. Ensuite, il faut coincer le tube et la barre entre le support d'un cadre métallique et le piston d'un cric de camion, ce qui nous permet d'en actionner la manivelle. Grâce à cette presse improvisée, nous fabriquons des bâtons d'héroïne de deux centimètres de diamètre et sept centimètres de long, aussi durs que du roc, diminuant ainsi dix fois le volume de la poudre. Arrivés en France, il suffira, avec un marteau, puis un moulin à café, de pulvériser l'héroïne pour la rendre à son état initial.

Je me suis levé pour boire un verre d'eau. Daniel est toujours étendu, les yeux clos. Sa jambe posée sur le montant du lit est prise d'un tremblement, il ne dort pas. Je me demande dans quelle condition il sera demain pour passer la dernière épreuve, celle des douanes. Ça fait déjà dix jours qu'il est sorti de prison et pourtant, il ne semble pas s'en être remis. Alors que je bois mon verre d'eau, observant son visage dans le reflet de la glace de la salle de bains, je me souviens du choc que j'ai eu le jour où je l'ai vu derrière ses barreaux : ce cadavre qu'il était devenu en quelques jours, son teint blafard et puis son désespoir qu'il tentait de rendre honorable. Aujourd'hui, je ne comprends ni n'accepte cette métamorphose, cette déchéance dans laquelle il se vautre. Plus j'analyse sa complaisance dans le morbide et plus je me détache de lui.

Il est trois heures du matin quand, complètement excédés, submergés de fatigue et d'ennui, nous décidons d'aller nous coucher. Rodney, lui, est rentré depuis longtemps à son hôtel avec sa part. Nous n'avons pas conditionné l'héroïne d'Yves, qui a rejoint la chambre de son copain pour laisser son lit à Daniel. Yves reporte son départ à demain soir et terminera lui-même le travail dans la journée. Enfin! Nous pouvons décompresser. Laure m'attend devant la porte, j'enfile ma chemise, épuisé, je m'apprête à quitter les lieux quand la voix inattendue de Daniel m'arrête.

— Eh dis, t'en va pas!

Je me retourne. Il est debout, la tête penchée sur le côté, les yeux mi-clos, comme désarticulé. Il a un tressaillement avant de m'expliquer : « Je ne suis pas tranquille, je suis trop angoissé pour garder la dope avec moi. » De nouveau il hésite, puis reprend :

— Mes paquets pressés, d'accord! Si les flics arrivent, je pourrai les planquer mais la poudre d'Yves, emmenez-la, j'ai trop la trouille, et c'est pas la mienne.

Je me suis répété que demain, pour passer les douanes, il devrait être en bon état physique et mental. Pour ça, il fallait qu'il dorme. Laure et moi avons consulté nos mines respectives : « On l'emmène ? — On l'emmène. »

Et cette nuit-là, contre tout bon sens, nous nous sommes donc endormis avec l'héroïne dans notre chambre, devant la fenêtre, afin de pouvoir la balancer à la moindre alerte.

On vient de frapper à ma porte, trois coups forts. Je suis sûr de ne pas l'avoir rêvé. Dans mon demi-sommeil narcotique, laborieusement, je me dresse pour tendre l'oreille. La lumière qui passe entre les rideaux tendus de la fenêtre n'a pas de teinte. Je me demande quelle heure il peut bien être. Appuyé sur mon coude gauche, je n'ai pas l'énergie de changer ma position pour vérifier l'heure sur ma montre. Il doit être tôt. Déjà le sommeil me reprend et j'oublie mon visiteur. La toupie du ventilateur suit sa course absurde au-dessus de moi, rien n'a changé. Il fait frais et mon corps se glisse à l'abri des draps quand trois autres coups, timides cette fois, me sortent défini-tivement de ma torpeur. Maintenant, un peu inquiet devant cette insistance, je suis tout à fait réveillé. Il est six heures trente à ma montre et j'attends que l'aiguille des secondes ait fini sa révolution avant de réagir. Laure, le drap tiré sur ses épaules, ne semble avoir rien entendu. Son sommeil paisible me rassure au moment où je me lève. La bouche pâteuse, dégoûté par la masse molle qui m'enrobe, cette oppression flasque dont maintenant j'ai l'habitude et qui précède toujours le manque, je vais vers la fenêtre.

Absurde ! Je ne comprendrai jamais pourquoi, alors que j'avais la certitude que la police était dans le couloir, je n'ai pas jeté dehors le sachet d'héroïne qui était à mes pieds.

Je me suis retourné et, magnétisé, je me suis dirigé vers la porte en formulant le « qui est-ce ? » d'usage. Sans attendre la réponse que je connaissais déjà, j'ai posé ma main sur la poignée. Il ne me restait qu'un geste à faire, celui de la tourner. Dans ma logique suicidaire, je l'ai fait !

J'entrouvre la porte lentement ; on aurait dit que je voulais attiser l'importance du moment. Dans l'entrebâillement, je distingue une vague forme brunâtre qui recule. La police est bien là, et j'entends un :

— *Don't move !* alors que je pousse la porte brutalement pour l'ouvrir tout à fait.

Tout s'est passé comme si je participais à un événement qui ne me concernait pas vraiment. Une escouade de la police thaïlandaise braquait ses revolvers sur moi et j'en éprouvais presque de l'amusement. J'avais conscience d'assister à une descente de police mais elle semblait s'adresser à quelqu'un ou à quelque chose de différent, qui se serait trouvé derrière moi. En même temps, j'avais le sentiment d'un équilibre, d'un rapport de force entre eux et moi que je maîtrisais.

Pendant une seconde, je n'ai pas eu l'impression d'être menacé, peut-être m'eût-il fallu une émotion pour donner une réalité aux événements.

Alors, j'ai levé les bras, sans le vouloir, comme si mon geste faisait partie d'un rituel. Je me suis senti lourd tout à coup, aussi lourd et oppressé qu'à mon réveil. J'aurais voulu dormir et pourtant, je ressentais une urgence, l'idée que je devais faire quelque chose. Les flics étaient là ! Je me rappelais ne pas avoir jeté la poudre par la fenêtre.

J'ai pensé aussitôt à repousser la porte, mais il était bien trop tard. Avant que j'aie pu bouger, le canon d'un revolver, enfoncé dans mon ventre, me plaquait contre le mur et, dans ma tête, des pans de mon futur s'écroulaient, en faisant une poussière noire qui me bouchait toute perspective. Dans ce vertige, des ombres dansaient et j'ai cligné des yeux pressentant que les flics envahissaient la chambre. J'étais coagulé, pas encore accessible à l'authenticité des faits, alors qu'irrémédiablement, les intrus avaient pris possession des lieux. Ainsi qu'ils l'auraient fait à l'entraînement, deux flics se tenaient « en couverture » à la porte, deux autres dans la salle de bains et tout le reste formait un tableau surréaliste. En corolle autour du lit où Laure se réveillait. Ils avaient tous l'air décontenancés et rentraient discrètement leurs revolvers, apparemment aussi désolés que moi de cette situation, ils s'étaient déplacés en nombre pour arrêter Al Capone mais ils étaient tombés sur moi, si peu à la hauteur de leurs espérances, dérisoire, tout petit comme la première fois où je me suis trouvé parmi les grands, sous le préau de mon école.

Personne ne savait plus quoi faire. Rompant le charme de la scène, un des flics a lancé un ordre mou. Sortant prestement une paire de menottes accrochée à son ceinturon, un autre flic m'en a décoré les poignets afin de passer rapidement à une séquence moins romantique de cette entreprise policière qui tournait à la B.D. Ces menottes me rendaient conforme à l'image sécurisante du truand qu'ils étaient venus arrêter et, pour moi, la situation devenait plus claire. J'en portais pour la première fois et j'avais l'impression qu'on venait de me faire un cadeau. C'était leur propre projection que les flics venaient arrêter et, bizarrement, je ne me sentis, à nouveau, plus concerné.

Souvent, au cours de ces dernières années, j'avais imaginé l'éventualité de mon arrestation comme quelque chose de dramatique que je n'aurais pu supporter. Maintenant que ce cauchemar était devenu une réalité, les faits prenaient, pour moi, une dimension invraisemblable, extravagante.

Le capitaine, un grand play-boy graisseux d'une trentaine d'années, au visage clos, est entré en action. Avec ses trois étoiles sur les épaules et ses chaussures bien cirées, il devait se sentir un peu ridicule au milieu de sa bande désœuvrée. Alors, plein d'arrogance, il a brutalement soulevé le drap qui couvrait Laure en aboyant :

— *Where is the gun ?*

C'était la chose à ne pas faire à Laure qui est toujours de mauvaise humeur le matin. Elle a rabattu le drap sur sa nudité en l'engueulant. Hébété, le flic a blêmi, ce devait être la première fois qu'il se faisait remettre à sa place devant ses hommes. Le froid polaire qui a suivi la sortie de Laure ne présageait rien de bon. Embarrassé, j'ai fait un effort pour ne pas crier quand le canon qui était appuyé sur mon ventre s'est enfoncé brutalement dans mon plexus. Paralysé de douleur, plié en deux dans une grimace un peu exagérée, les mains crispées sur l'endroit sensible, je me suis affaissé sur mon tortionnaire. Avec l'aide de deux autres poulets, ils m'ont rejeté contre le mur en me crachant la question de leur boss : « *Where is the gun ?* »

Il y avait une démence évidente dans les manières du petit agressif qui m'immobilisait, j'en avais la nausée. Inquiétant, il gardait son revolver contre mon estomac et c'est à peine si j'ai bougé les lèvres en répondant désespérément à sa question. J'ai murmuré : « *I don't have gun.* »

Il ne semblait pas vouloir me croire. J'insistais en montrant mes paumes désarmées, répétant à qui voulait l'entendre que je n'avais pas de gun, alors j'ai senti un autre revolver se poser, ou plutôt s'écraser sur ma tempe : « *Don't move !* » J'ai plus bougé.

J'avais pas envie de faire le con, j'ai attendu un peu la suite des événements. Si les flics n'étaient pas convaincus par ma réponse, en tout cas ils ne réagissaient pas. Prenant un air abruti, tournant un peu la tête pour me rendre compte de la situation, j'ai fait, du regard, le tour de la pièce ; des hommes et des pétards me fixaient. Tous étaient immobiles, pensifs, et j'ai eu le sentiment qu'ils ne m'aimaient pas, qu'ils méprisaient un peu mon manque d'envergure.

A priori, il y avait erreur sur ma personne, ils étaient tellement certains, avant que je leur ouvre la porte, d'avoir affaire à un homme armé qu'ils se trouvaient complètement déconcertés et se demandaient s'ils ne s'étaient pas trompés de client. Cet état de fait me laissait espérer : « Peut-être qu'en définitive, ils cherchent quelqu'un d'autre et dès qu'ils vont comprendre que je ne suis pas celui-là, ils vont partir ? » Laure se levait. Enroulée dans son drap, très maîtresse d'elle-même — son sang-froid, qui m'avait souvent étonné, aujourd'hui m'épatait —, vestale de chair ferme, irritée, ayant comme moi évalué l'ambiguïté de la situation, elle a tiré les tiroirs de la commode. Sans rien dire, elle a ensuite ouvert les portes de l'armoire, admirablement, puis, se retournant vers l'assistance toujours immobile, l'a défiée par son silence. Elle était tellement persuasive que deux flics, discrètement, sont sortis de la pièce. Le doute parmi ceux qui restaient était à son summum. Le capitaine, se caressant le menton, paraissait sceptique. Je les voyais déjà tous s'en retourner la tête basse. Une gêne certaine circulait dans leurs cerveaux et il me semblait qu'il suffisait que l'un d'eux fasse un signe de dénégation pour que tous suivent les deux déserteurs. Mais le capitaine, malgré les apparences, était réfractaire à notre comédie. On devait déjà lui avoir fait le coup une centaine de fois ; d'un geste las de la main, levant la tête vers le plafond, il a indiqué les tiroirs ouverts que ses hommes dans un même mouvement, ont retirés de leur châssis pour en vider le contenu sur notre lit. Pendant que, méthodiquement, ils en faisaient l'inventaire, leur chef a sorti une cigarette de sa poche et nous a tourné le dos pour aller la fumer dans le couloir. Son manque d'enthousiasme m'avait abusé. Je l'avais pris pour une forme de commisération qui aurait pu devenir magnanimité. Je lui prêtais des sentiments nobles. J'avais espéré qu'il se laisserait séduire par notre naïveté.

43

Je me trompais, il ne faisait que son boulot. Je réalisais maintenant que son attitude n'était que le très classique sadisme du chat jouant avec la souris, alimentant son plaisir de notre illusion.

Confirmant mes soupçons, il est presque aussitôt revenu dans la chambre nous apprendre, sur un ton anodin, qu'il avait arrêté Daniel peu de temps avant nous et espérait prendre Rodney avant la fin de la matinée. Sans attendre une quelconque réaction de notre part, afin de jouir de sa satisfaction en toute quiétude onaniste, il est retourné fumer sa cigarette dehors. La situation était au pire et j'en étais désemparé.

Irrémédiablement, les flics accomplissaient leur inquiétante besogne, renversant nos valises, tâtant consciencieusement le moindre ourlet de pantalon, la moindre doublure de veste, faisant dégouliner dans la salle de bains ma mousse à raser qui leur semblait suspecte. Tout à l'heure, ils exulteraient en découvrant ce que contenait le sac en papier près de la fenêtre... Ma tête me faisait mal, ma respiration devenait pénible au fur et à mesure que l'échéance approchait. Pâle, Laure était pourtant sans crainte, absente, observant un spectacle qui ne semblait pas l'intéresser. Elle ne me voyait pas. Jaloux de sa distance, je me suis laissé tomber à ses côtés, sur le bord du lit, passant mes bras prisonniers autour de ses épaules. Nous nous sommes serrés l'un contre l'autre, fermant les yeux sur ce qui ne pouvait qu'être un mauvais rêve que nous nous raconterions avec amusement tout à l'heure, quand nous serions réveillés. Nous sommes restés quelques minutes dans cette position, surveillant, à son bruit, la progression des chercheurs qui furetaient autour de nous, redoutant l'exclamation qui consacrerait notre arrestation. Cette attente devenait intolérable. Mais qu'est-ce qu'ils foutent ! Qu'ils la trouvent, nom de Dieu !

J'avais hâte d'en finir et pourtant je me surprenais à toujours espérer. C'était là, juste devant la fenêtre, en évidence, dans le sac en papier brun, tellement proche qu'ils ne le remarqueraient pas et s'en iraient. Ils ne vont pas trouver ! Non, j'en suis sûr maintenant, ils ne trouveront pas !...

Quand j'ai rouvert les yeux, le capitaine était de nouveau dans la pièce. Les mains derrière le dos, il regardait par la fenêtre...

Et puis, ils ont fini par mettre la main dessus. Un jeune flic de vingt ans à peine, insignifiant avec sa gueule sans traits, bien peigné, a regardé, sans y toucher, l'intérieur du sac de papier à moitié ouvert. J'ai vu sa mine intriguée et son bras y plonger pour en sortir l'emballage plastique à demi plein d'héro avec ses deux dragons dessinés en rouge. Le jeune flic a marmonné quelque chose dans sa langue. Il semblait perplexe devant cette poudre qui aurait pu être n'importe quoi. C'était blanc, bien sûr, mais la lessive aussi a cet aspect, ou la farine, ou le sucre... c'était blanc. Dans son esprit, l'héroïne devait être une substance précieuse qui se dissimulait dans une cache secrète, à l'abri des convoitises, et non pas fourrée dans un vulgaire sac abandonné sur le sol

Pour excuser son manque d'expérience, il lève

timidement le paquet afin de demander l'avis de ses compagnons qui, déjà rigolards, l'entourent. Ne sachant plus que penser de l'hilarité des autres, il me lance un regard en forme de point d'interrogation, comme si j'étais un des leurs. J'ai réalisé, comble de l'ironie, que moi aussi je riais. Aussi absurde que cela puisse paraître, je me sentais complice. Ils avaient entre les mains de quoi me faire emprisonner dix ans et je jubilais avec eux! Quand j'avais imaginé cette arrestation, je me voyais gardant la tête froide, comme c'est écrit dans les polars, essayant de sauver ce qui pouvait encore l'être, proposant de l'argent aux flics... et voilà que je riais comme un imbécile!

Que se passait-il donc dans ma tête? Je ne trouvais pas de réponse. Cette satisfaction ambiguë ressemblait à celle d'une victoire...

Plus tard, oublié derrière mes barreaux, j'ai longtemps réfléchi aux circonstances de cette arrestation. La distance, détaillant cet instant, m'en donnait une intelligence qui annulait l'émotion, me permettait d'en faire une analyse claire. Dans les lettres que j'ai échangées avec Laure, petit à petit, une intuition s'est précisée, devenant bientôt une certitude : avec une logique rigoureuse, j'avais désiré et orchestré l'entrée des flics dans ma chambre et la découverte de l'héroïne qui m'a fait inculper. Tout avait été, malgré moi, intentionnel. A cette époque, seul mon geste apparemment suicidaire — ouvrir la porte de ma chambre — pouvait faire obstacle à mon destin de toxicomane devenu fatal. Seul un événement extérieur aussi brutal qu'une intervention policière pouvait me sauver. Possédé, accroché à un point tel que je côtoyais à chacun de mes fix l'overdose, ma vie n'avait plus qu'un sens, celui de l'injection. Ces coups à ma porte, le 24 août 1977, au-delà de ce qui semblait ma perte, se révélaient être mon dernier recours. Du moins, je l'ai cru.

Les dés étaient jetés, comme on dit, il me fallait en supporter les conséquences. J'essayais désespérément de me conformer à l'image du type en possession de ses moyens, celui que j'aurais aimé être, mais j'allais trop mal. N'ayant rien pris depuis hier soir, mon souffle se faisait laborieux. L'immense trou que j'avais au milieu du ventre m'aspirait. Hier était tellement loin... Les flics avaient repris leur aspect martial. Je regardais discrètement vers la salle de bains, elle était vide ; ils n'étaient plus que trois à palabrer dans la chambre. Pour la gent policière, je n'étais déjà plus qu'un cas réglé, sans importance, et c'était tant mieux. Furtivement je me suis levé, étirant mon bras droit vers le tiroir de la commode resté ouvert. A tâtons, de peur de tourner la tête et de déranger l'oraison flicarde, j'ai trouvé la bouteille de méthadone[1] que je gardais précieusement pour décrocher dès mon retour en France... Avec une prudente lenteur, je l'ai amenée à moi tout en tournant le bouchon entre le pouce et l'index. Je

1. *Méthadone :* substitut chimique de l'héroïne.

l'ai portée à ma bouche. J'avalai enfin une gorgée, les yeux fermés de contentement, puis une autre gorgée... jusqu'à ce qu'une main m'arrache la fiole et qu'un bras me repousse vers le lit. Alors les images se sont mises à se télescoper dans ma tête. Je devais être hagard. Les flics qui pensaient avoir affaire à une bouteille de poison étaient devenus fébriles. Laure avec qui je n'avais même pas pensé à partager s'est allongée, le regard perdu dans le plafond pour ne plus rien voir. La méthadone allait répandre sa chaleur. Tout était bien. Comme par acquit de conscience, exhibitionniste, j'ai tendu mes deux bras pour en montrer les stigmates à l'assistance. J'essayais d'expliquer, en mimant l'injection, que j'étais en manque, que je ne pouvais pas me passer de dope. Mais ils étaient venus chercher un tueur, pas un drogué, alors personne ne comprenait. Le capitaine est réapparu. En être supérieur, il s'est fait donner la bouteille avant d'émettre son verdict. Il en a reniflé le goulot, puis l'a gardée un instant dans sa main comme pour en évaluer le poids. Avec la mine dubitative du « mec à qui on la fait pas », il l'a de nouveau reniflée en faisant un vague mouvement de la tête. Les autres, suspendus à ses lèvres, attendaient avec une impatience contenue un commentaire de leur chef. Il s'est adressé à moi pour dire « tomorrow », ils ont hoché la tête de concert en signe d'approbation, rassurés par sa compétence.

Moi, je me demandais ce que pouvait bien vouloir dire cet énigmatique « tomorrow ». Peut-être me rendrait-il la bouteille demain. J'étais trop las pour demander une précision. Ce qui m'intéressait pour le moment, c'était de tirer le maximum de plaisir de la méthadone que je venais d'ingurgiter et demain pouvait bien attendre... *tomorrow is tomorrow...* Je savais que demain on me reléguerait comme un colis derrière une rangée de barreaux, à l'écart de ce que j'aimais, et je m'efforçais d'oublier ça. Mon corps se faisait pesant, je me serais endormi si le capitaine n'avait entrepris de justifier son attitude et celle de ses hommes, qui était, somme toute, normale. Je ne le regardais même pas. Mais, la tête baissée, j'écoutais maintenant, les paupières mi-closes, avec attention, car il parlait de Daniel. J'apprenais que l'escouade policière qui venait de m'arrêter était arrivée une heure auparavant à la porte de la chambre du Baron. Pressentant certainement qui frappait, il n'avait pas ouvert. Après avoir insisté un moment, les flics avaient défoncé sa porte. Daniel, je pouvais l'imaginer, était allongé par terre. A côté de lui, trois tubes vides. Encore conscient, il désignait du doigt un cachet qui lui avait échappé. Pris de panique, deux flics, l'un le saisissant par les épaules, l'autre par les pieds, l'avaient aussitôt transporté jusqu'à une voiture pour le conduire à l'hôpital.

Le capitaine s'était tu. Il semblait plus affecté que moi par cette histoire. J'ai haussé les épaules pour lui signifier que tout ça ne m'intéressait pas, puis, avec ostentation, j'ai laissé retomber ma tête. Il faisait chaud, je transpirais à grosses gouttes. Insensible, j'imaginais Daniel sur son lit d'hôpital, le tuyau à perfusion planté dans le bras. La respiration courte, imperceptible, il était ce tas informe sur un lit métallique. Un drap blanc le recouvrait jusqu'aux épaules. Je voyais son visage gommé par les barbituriques, sans existence, et il me dégoûtait.

À travers ma rêverie malsaine, je percevais des mouvements autour de moi. J'ai ouvert les yeux. Des types en uniforme semblaient inspecter les lieux. Cette chambre était la mienne et je me demandais qui étaient ces intrus. Mais je n'arrivais pas à me leurrer, la méthadone que j'avais avalée était impuissante à balayer ces flics. Laure à côté de moi me rassurait. Elle me souriait. Laure me souriait et nous aurions fait l'amour, j'en suis sûr, s'il n'y avait pas eu tous ces étrangers. Elle m'attendrissait tant elle était belle. Je ne sais si elle parlait mais je l'entendais murmurer : « Nous sommes tous les deux, indissociables. Si tu tombes, je te relève. Si c'est moi qui tombe, relève-moi. »

Elle était jeune, Laure. Dix-neuf ans à peine. Sa confiance en moi était telle qu'elle me stimulait. J'en éprouvais de la gratitude. Laure m'était essentielle. Avec elle, je pouvais même accepter ce présent où rôdaient des démons en uniformes. C'était de l'amour qui circulait entre elle et moi, je pouvais en sentir les pulsations.

Il devait être sept heures et demie. Le soleil inondait déjà la pièce ; un autre jour suivait le précédent en lorgnant sur le calendrier pour ne pas se tromper. L'atmosphère de la chambre était lourde, le ventilateur cyclope, avec application, s'efforçait de l'alléger mais ne réussissait qu'à brasser de l'air. Je pensais un instant qu'il allait se décrocher et, comme une toupie aiguisée, dans sa course, décapiter mes contempteurs... mais ce con était trop discipliné.

Les flics avaient l'air de vouloir en finir. L'hôtel se réveillait et un farang curieux s'est arrêté à notre porte. J'ai eu envie de lui donner un numéro de téléphone à Paris pour qu'il appelle en PCV, mais je me suis dit qu'il ne le ferait pas. Il avait l'air trop défoncé pour que je puisse avoir confiance en lui. Il restait là, planté devant la porte et semblait apprécier le spectacle. J'ai soudain eu besoin de me lever et de gueuler : « Casse-toi ! T'es pas au cinéma ! », mais comme s'il avait compris, il nous avait déjà tourné le dos. Je me suis senti mal.

Après qu'un flic eut vérifié que la salle de bains n'avait pas de fenêtre par où s'échapper, il a invité Laure à y entrer pour s'habiller. J'avais envie d'y aller moi aussi, d'être seul un moment avec elle. Arguant de ma pudeur à me vêtir en public, j'ai demandé. Ils n'ont pas voulu. On m'a tendu une serviette comme paravent. C'était suffisant, j'ai dû l'admettre...

Après nous être habillés, nous avons bouclé nos bagages. Un sergent vérifiait que nous n'emportions rien de contondant, comme ils disent. Une fois le linge entassé dans mon sac de voyage, il m'a fait tendre les poignets pour accrocher la chaîne de mes menottes à son ceinturon. Il m'a poussé dehors et nous sommes partis, moi attaché à lui, à travers le corridor silencieux.

Empêtré par mon bagage, projeté par la traction du ceinturon qui m'entraînait vers l'avant, j'ai aperçu à travers une fenêtre, dans la cour de l'hôtel, la meute des chiens qui allaient me déchiqueter : cinq ou six voitures de police et quatre jeeps aux aguets ! Décidément, il y avait méprise, ils me confondaient avec un autre !

Tout à l'heure, pour moi, l'arrivée des flics avait été une sorte de farce de mauvais goût, mais au fur et à mesure que je piétinais dans les couloirs, les faits prenaient une proportion énorme, inacceptable. Le ceinturon, branché sur mon désarroi, tirait de plus en plus fort. Les menottes s'incrustaient dans mes poignets. Mes yeux rivés à la chaîne tendue, abattu, je me suis laissé traîner jusqu'au bas des escaliers, contre le comptoir de la réception où m'attendaient deux Occidentaux accompagnés d'une dizaine de flics thaïs dissipés.

Les deux Blancs étaient des agents de la DEA[1], à la trentaine sportive, en blouson de toile. Il émane toujours de cette élite policière un petit air hygiénique, Colgate-Maison-Blanche, géopolitique, voire relations publiques. Quintessence du puritanisme américain en mission à l'étranger, Nec plus ultra de la politique antiseptique : je me sentais coupable, sale et répugnant, rien qu'à les approcher.

Les deux agents, comme si nous étions des businessmen à un cocktail de la General Motors, hochant la tête, se sont présentés en me tendant la main. Le plus grand s'appelait Michael, l'autre je n'ai pas entendu son nom tant j'étais sidéré par leur comportement mondain. Dans cette chaleureuse poignée de main, mes yeux fixés sur les leurs, j'essayais de déceler une ironie mais il n'y

1. *Drug Enforcement Administration :* organisme américain de lutte contre les stupéfiants.

en avait pas. Ce n'était qu'une honnête poignée de main entre deux parties d'une même affaire qui seraient liées par un même contrat. Laure était assise dans un fauteuil du hall, face à deux Thaïs. Les « narcs » américains l'ont saluée et m'ont invité à la rejoindre. De plus en plus décontenancé par cette situation insolite, cette comédie qui n'en était manifestement pas une, je me suis laissé tomber sur un siège en observant simultanément Laure et mes deux extra-terrestres qui m'inspectaient de la tête aux pieds, sans curiosité excessive, comme s'ils m'évaluaient, soupesant le gibier. Vu leur manque d'intérêt, je ne devais pas peser lourd et je commençais à me demander si oui ou non j'étais une bonne prise. Ils s'étaient retournés pour discuter entre eux, se souriant. Je me sentais de plus en plus pitoyable et frustré au fur et à mesure que j'analysais ma position et que j'éprouvais de la sympathie pour ces flics bien singuliers. Etaient-ils des représentants d'une nouvelle espèce policière, qui agirait par la séduction plutôt que par la contrainte ?... Les pions d'un nouvel ordre répressif longuement étudié par les sociologues de la Drug and Food Administration dont faisait partie la DEA ?... Ou alors simplement, des flics « cool » ?...

A mesure que je répondais à mes questions par d'autres questions, je regardais les deux poulets avec moins d'objectivité car, dans ma mémoire, se précisait le vague souvenir d'avoir déjà rencontré le plus petit quelque part. Oui, c'est ça ! Comment ne m'en être pas aperçu plus tôt ! C'était à Lima, au Pérou, où il habitait le même hôtel que moi !

53

Alors que les flics restés dans les étages descendaient les escaliers et que les autres commençaient à partir, les deux Thaïs assis à côté de nous se sont levés, l'un d'eux a pris mon bagage et m'a conduit à la première voiture qui attendait devant la porte. Les deux Américains se sont assis de chaque côté de moi sur le siège arrière et l'auto a démarré en trombe, précédant de peu celle où se trouvait Laure.

Tout le monde était silencieux et plus je m'éloignais de l'hôtel, plus je me détendais. Il devait être à peine huit heures du matin, les rues du quartier, presque vides, avaient l'air d'avoir mal dormi. Quelques commerçants les installaient leur comptoir de fruits et légumes, moi, j'avais hâte d'arriver à la police-station, indifférent à mon sort. Alors que la voiture traversait Mahachaï Road où les bus bondés faisaient leur apparition, le flic qu'il me semblait avoir rencontré en Amérique du Sud m'a demandé si je le reconnaissais : « *Do you remember me ?* »

Nous arrivions au centre de Bangkok. Je n'ai pas répondu. Je m'obstinais à regarder l'humanité laborieuse qui commençait à grouiller, celle qui vit le jour et se déverse par bus chaque matin dans la misère dont se nourrit la ville.

Nous arrivons au quartier général de la police thaïlandaise où mon sort va se décider. Quand la voiture ralentit pour passer la porte cochère qui marque mon entrée aux enfers, j'ai l'impression que ma vie s'arrête là.

A notre passage, une marionnette casquée

pivote en présentant les armes. Je me retourne. La voiture où se trouve Laure vient de nous rejoindre. J'essaie de la voir mais je suis coincé entre les deux Américains et n'arrive pas à me tourner entièrement. Nous roulons lentement dans une sorte de camp militaire. A part le porche prétentieux sous lequel nous venons de passer, le lieu ne semble pas vraiment délimité. Je suis déconcerté, je m'attendais à trouver une enceinte, il n'y en a pas. Quelques baraquements roides, séparés par une idée de gazon. Des types en uniforme, d'autres en civil, dossiers sous le bras, circulent entre les bâtiments avec une apathique lenteur. Ils se déplacent et pourtant, ils semblent immobiles...

Ici, il fait sombre. On dirait que le soleil, qui se déchaîne déjà sur le reste de la ville, évite cet endroit.

La voiture ralentit, elle se dirige vers une espèce de HLM qui a dû être réquisitionnée dans une banlieue ouvrière et transportée ici ce matin pour me foutre la nausée. Ce bâtiment ressemble à celui que j'habitais en France. Il a été repeint mais c'est bien lui. Les trois fenêtres du deuxième étage à l'extrême gauche — toujours l'extrême —, c'est derrière elles — toujours derrière — que j'ai passé mon enfance. Oui, je me souviens. Mais aujourd'hui, il n'y a personne de ma connaissance alentour : pas de bonnes femmes faisant la causette dans l'entrée de l'escalier, pas de moutards merdeux jouant à Billy the Kid, « T'es-mort-non-c'est-toi-qu'es-mort », plus de bicyclettes aux pneus crevés devant la façade ; rien qu'un grand parking stérile où rien ne pousse, même pas des carcasses de bagnole.

Nous sommes arrivés. Le chauffeur est déjà sorti. Soudain, j'ai peur. Je voudrais rester encore un instant dans la voiture, à l'abri. Juste le temps de réfléchir un peu, d'être sûr que je m'appelle Lerco, sans « t » à la fin...

Je n'ouvre pas la bouche. L'Américain à ma droite sort, remonte son pantalon, s'étire comme un athlète avant l'épreuve. Je le suis sur le sol ferme. J'ai envie de rire, de me moquer de moi, de ma panique de tout à l'heure. Laure est déjà dehors, nous nous regardons, nous nous devinons. Nous sommes les plus forts et personne ne pourra rien contre ça...

Nous pénétrons dans le quartier général de la CSD. Littéralement, ça veut dire : *Crime Suppression Division* — équivalent local du Quai des Orfèvres, avec l'euphémisme « orfèvres » en moins. Division! Suppression! Crime! On dirait un slogan de l'Inquisition. Des mots qui fouettent, cassent, découpent. Alors que je monte les étages déserts, ces trois mots lapidaires se bousculent dans mon esprit; une vision de corps déchirés, découpés en morceaux qu'on va jeter aux chiens. CRIME? Pourquoi crime? Qui est un criminel? Moi? Je n'ai pas conscience d'être un criminel. J'ai acheté de l'héroïne parce que j'en avais besoin, parce que je ne peux pas vivre sans elle et si j'en vends, c'est à des copains, des pareils que moi. Quand je n'en ai pas, ce sont eux qui m'en vendent. Si j'ai assassiné quelqu'un, c'est moi-même et moi seul. Je suis prêt à assumer ma propre mort mais pas celle des autres. Je refuse qu'on m'associe aux professionnels de l'héroïne, ceux qui se construisent des palaces et roulent en

Mercedes Benz en passant sur les corps défoncés des junkies. Je suis un junkie comme un autre qui évite de se faire écraser par une Mercedes Benz et je voudrais le proclamer.

Au troisième étage, devant une porte entrouverte où je devine un comité d'accueil, on me fait attendre quelques minutes. J'entends des voix à l'intérieur. Des chuchotements qui ont la gravité des complots. La porte s'ouvre tout à fait sur un type d'une trentaine d'années. Il a une gueule encore juvénile sous un paquet de cheveux, une auréole. Des cheveux presque longs qui me dérangent, un petit air romantique que je trouve malséant en cette circonstance. Même sa voix est trop affable : « Entrez, Lerco. » C'est un Français.

Il y a l'air conditionné dans la pièce. Assis devant un énorme bureau, un flic en uniforme aux épaules recouvertes d'étoiles me regarde entrer. Présence symbolique, silencieuse, légitime, qu'on a posée là pour signaler que nous sommes bien en Thaïlande. Derrière lui, son roi et sa reine, encadrés d'or, l'assistent. Mes deux poulets américains aussi. Leur présence me rassure comme celle de deux copains, je me demande comment ils ont fait pour arriver ici avant moi alors que je les ai laissés en bas il y a un instant. Et Laure, où est-elle ?

On m'offre une chaise. Le Français a mon passeport à la main. Il le feuillette avec détachement, sans commentaire. Puis il se met à parler. Sa voix est molle, sans relief, presque mélancolique, les mots ont du mal à venir jusqu'à moi. La bouche flasque, il monologue, semble se parler à lui-même :

— Je m'appelle Ombert. Je suis le représentant en Thaïlande des « stups » français.

Cet Ombert, j'ai l'impression qu'il serait capable de me mettre tout de suite une balle dans la tête avec la même nonchalance neurasthénique qu'il met à parler. Il a l'air tellement las, le pauvre homme, que je perds tout espoir de me réhabiliter ; j'aurais voulu discuter avec lui, lui expliquer que je ne suis pas le dealer international qu'il suspecte, mais je me résigne. J'ai l'impression qu'il ne croit même pas en ce qu'il fait. Je le dérange, c'est tout.

Il sort néanmoins un crayon de la poche de sa veste, remet en place sa cravate et dans le même mouvement demande une feuille de papier aux Américains. Je me dis : toujours à faire la manche, ces Français... Le voilà paré pour l'interrogatoire d'usage. Il s'affale sur sa chaise, étire les jambes.

— Ce passeport, c'est le tien ?

Il me tutoie. Je voudrais lui demander : « A ton avis ? », mais il me trouverait insolent, je suppose.

Il fait un vague gribouillis sur la feuille posée sur sa cuisse gauche.

— Nom, prénom ?
— Date de naissance ?
— Lieu de naissance ?
— Adresse ?
— Profession ?

Tout ça est sur mon passeport. Peut-être veut-il vérifier que c'est bien le mien.

— Depuis combien de temps tu es en Thaïlande ?

58

Je m'aperçois que l'un des Américains a mis ses lunettes et prend lui aussi des notes. Je ne savais pas qu'il parlait français.

— A qui as-tu acheté de l'héroïne ?

— A un grand blond en blue-jean et tennis blanches. (Je réponds ce qui me vient à l'esprit.)

— Son nom ?

— Joe, mais je suis sûr que ce n'est pas son vrai nom.

— Où peut-on le trouver ?

— Au Jardin des plantes.

— Tu te fous de moi ? T'as envie de te faire tabasser ?

Après une ou deux heures de politesses, peu satisfaits de ma performance, les Occidentaux me rendent aux Orientaux. La méthadone de ce matin n'est plus qu'un souvenir. Je suis trempé de sueur, j'ai froid. Les premiers vertiges du manque apparaissent. Je demande, avant de quitter le bureau, à téléphoner à l'ambassade. Le Thaï à cinq étoiles me répond platement que l'ambassade est ici présente en la présence de M. Ombert

Je n'insiste pas.

Menottes.

Somnambule, je me laisse guider vers le « monkey-room [1] » à l'étage inférieur. Grincement des grilles qui s'ouvrent et se referment. On enlève mes bracelets. Je m'allonge sur le sol de ciment.

J'entends mon nom, une voix radieuse, presque irréelle dans mon malaise. Laure ! Je n'ose pas y

1. *Monkey-room :* cage aux singes. Expression américaine employée par les policiers thaïlandais pour désigner une cellule.

croire. Je me retourne, elle est à quelques mètres, juste séparée de moi par des barreaux qui divisent la cellule en deux ! J'étais certain qu'ils l'avaient envoyée dans un quartier réservé aux femmes, comme on le fait en Occident.

Rien qu'une rangée de stupides barreaux !

Aussitôt, c'est le rire qui me prend. Si j'en avais été capable, j'aurais pleuré de bonheur je crois. Mais c'est le rire, qui nous transporte tous les deux, quand je m'agrippe à ces barreaux qui ne donnent que plus d'intensité à ce moment. On se touche, se caresse, s'embrasse comme des gosses qui auraient été longtemps séparés. Comme si on venait déjà d'accomplir les années de prison qui nous attendent et que tout « ça » était fini. Nous étions dans le futur. Tous les deux ensemble.

— Je croyais qu'ils t'avaient emmenée ailleurs !

— Je croyais la même chose !

Nous rions encore, avec une tendresse qui dresse autour de nous deux réunis un écran protecteur.

On avait oublié le manque, on avait oublié la déchéance, on avait oublié les trois autres pensionnaires de ma cellule qui nous regardaient, médusés. On avait surtout oublié le troisième étage où les machines à écrire commençaient leur œuvre mesquine de délation. Nous ne sentions pas leurs lettres d'acier marteler notre identité afin que nous ne soyons bientôt plus qu'un dossier, un rapport de police se froissant toujours un peu plus entre les doigts gourds de la procédure judiciaire.

— Tu devrais t'étendre, tu es brûlant de fièvre.

60

Je suis resté un instant accroché aux barreaux puis je me suis laissé glisser sur le sol. J'ai senti sa main qui me caressait les cheveux. J'étais de nouveau bien. Elle me passait un linge mouillé sur le corps. Je me détendais. Je sentais mes larmes couler sur mon visage mais je ne pleurais pas Seulement des larmes de junkie en manque...

Une semaine passera en interminables interrogatoires, ponctués par les pertes de conscience et les nuits d'insomnie du sevrage. Je n'avais pas réalisé jusqu'à quel point j'étais intoxiqué. J'en étais pourtant depuis longtemps arrivé au stade de la véritable dépendance physique mais, toujours, j'avais cru, comme toutes les personnes « fraîchement » accrochées, « que je ne me laisserais pas prendre au piège, moi ». En fait, inconsciemment, je redoutais et différais le moment de vérité : l'agonie du sevrage qui aujourd'hui me torturait telle une plaie mal cicatrisée dont les points de suture auraient cédé. Je faisais l'apprentissage de l'autre visage de l'héroïne. La bête était sortie de l'antre d'où elle me guettait depuis des mois.

Après trois jours et trois nuits, je n'étais plus qu'un chiffon souillé, humide et malodorant que la bête aurait poussé du bout du pied dans les toilettes, où je passais le plus clair de mon temps à vomir et à me chier dessus. Ces toilettes de la police-station, je ne les oublierai jamais. Je me souviens aujourd'hui du moindre carrelage brisé, de la tache de moisissure qui ressemblait à une gigantesque oreille et me fascinait, pourriture sortant du mur comme du pus. Ces toilettes n'avaient pourtant d'autre odeur que la mienne. Une odeur âcre, celle d'un cadavre en putréfaction, tellement insistante qu'elle infestait tout. Cette puanteur me dégoulinait du corps, transpirait de mes pores, me répugnait. Tellement que celle de la merde ambiante avait presque une vertu lénifiante. J'essayais de respirer par la bouche mais je toussais, toussais, toussais, à m'en arracher les amygdales, jusqu'à en vomir. Ces toilettes étaient ma chambre, mon refuge, mon cimetière d'éléphants. J'y restai deux journées entières, près du trou débordant de merde, affalé dans la mare d'eau où les étrons se mélangeaient à mes renvois. Je me cramponnais au robinet qui était au coin, la tête sous son jet d'eau. Quand j'étais trop fatigué pour tenir la vanne automatique ouverte — il fallait presser le bouton pour faire couler l'eau — je me laissais glisser et me recroquevillais sur le sol inondé, à demi conscient.

Dans mes moments de lucidité, j'entendais parfois Laure qui m'appelait de sa cellule, elle ne pouvait pas me voir. Je me redressais brutalement, perdais l'équilibre, me remettais sur pied tant bien que mal en m'appuyant sur le mur. Je me posais un instant la question de savoir si je ne délirais pas. J'écoutais encore une fois. Non, c'était bien elle, je m'exhortais à haute voix : « Te laisse pas aller comme ça ! Allez, viens ! » Je me sentais bien une seconde, peut-être un dixième de seconde, j'étais moi, entier. Puis aussitôt j'avais honte. Même un junkie a de la dignité ! N'en déplaise ! Je me répétais ça comme un dément. Je claquais des dents, j'avais froid. J'hésitais encore entre l'envie de retrouver Laure et le plaisir que j'éprouvais à me vautrer dans les w.c. Puis, sans même le décider, je sortais de mon refuge, encore tremblotant. J'entrevoyais Laure. Pour l'amuser, je chantonnais : « *She was a princess, he was a monster...* », et chaque fois, j'étais de nouveau surpris qu'elle ne me méprise pas. Je ne voyais pas vraiment son visage mais je sentais sa douceur, je pouvais la toucher. Trop faible pour tenir longtemps debout, je me couchais au pied des barreaux et, parfois, je dormais. Je n'avais pas encore appris à me méfier de l'assoupissement du manque, de cette illusion de long sommeil qui ne dure jamais plus de quelques minutes, et je me réveillais dans un sursaut de fièvre et d'angoisse, complètement halluciné, baignant de sueur et tremblant de froid. J'étais glacé, j'étouffais. Une tenaille invisible me serrait la gorge, m'empêchant de respirer. Je paniquais en voyant mes jambes se désolidariser de mon corps, se plier, se déplier brutalement sans que je puisse les contrôler. Mon corps était pris de soubresauts comme si j'avais touché un fil à haute tension. Je tentais de fermer les yeux pour échapper à cette vision, ainsi qu'on les ouvre pour fuir un cauchemar, mais je n'y arrivais pas. Ma bouche était pleine d'une salive épaisse et acide que je ne pouvais avaler. Je bavais alors qu'en même temps, un autre moi était assis à un mètre et observait tranquillement ce corps tourmenté, celui d'un autre. J'étais double. Laure, branchée sur ma détresse, passant ses bras à travers les barreaux, me donnait des gifles pour que je me ressaisisse. Je le savais mais ne le sentais pas.

J'ai seulement réalisé le troisième jour, alors que j'allais mieux, qu'elle aussi venait de décrocher. Elle aussi avait été en manque et je ne m'en étais même pas rendu compte. Tellement polarisé sur mon propre malaise, j'avais refoulé cette évidence. Bien sûr, elle n'avait jamais shooté mais elle sniffait et depuis deux jours, elle aussi avait été malade. Elle n'avait rien dit, rien laissé voir.

Les deux premiers jours qui ont suivi notre arrivée, les flics nous avaient fait monter séparément pour nous interroger. Devant notre incapacité à communiquer, après quelques heures de : « *You want heroin, I have some..* », et de rigolades : « Ha-ha-ha-ha ! », ils avaient fini par se fatiguer de jouer à tu-l'auras-tu-l'auras-pas ! Experts en toxicomanie, ils s'étaient résignés à nous laisser passer le troisième jour de la décroche sans nous voir, puisque nous n'étions pas encore aptes à participer pleinement à leurs petits jeux futés.

Les trois premiers jours sont les plus éprouvants, c'est la période de la désintoxication physique, un état proche de la schizophrénie, entrecoupé de crises qui ressemblent à l'épilepsie. Toujours est-il que n'étant accroché que depuis six mois, même si je fixais déjà un gramme par jour, il m'avait suffi de quarante-huit heures pour me sentir mieux. Quant à Laure, elle était dans une forme splendide. Nous en étions au deuxième épisode du sevrage, la désintoxication psychologique, passant alternativement de la dépression suicidaire à l'euphorie hystérique. Désintoxication physique, désintoxication psychologique, appellations arbitraires qui ne servent que de points de repère dans l'évolution du manque.

C'est donc le quatrième jour que le capitaine Kulachat, en personne avisée, nous a convoqués. Je revoyais pour la première fois le visage piriforme de celui qui m'avait arrêté et deviendrait vite mon ennemi personnel.

Ses oreilles n'étaient, semblait-il, jamais arrivées à maturité, ébauches qu'un sculpteur aurait laissées en plan. Ses yeux étaient deux globules inexpressifs qui, avec un nez sommaire, se tassaient vers le haut du visage, laissant la place à une bouche charnue, énorme, à ce sourire équivoque qui en Asie est une menace. Il était grand pour un Thaï, la graisse bureaucratique l'enrobait déjà, bien qu'il ne dût pas avoir plus de trente-cinq ans. Sous la plaque de verre qui recouvrait son bureau, en dessous de l'inévitable poster du roi et de la reine « tout-sourire », il avait disposé un panorama de photos-safaris :

— lui, posant devant la tour Eiffel,
— lui, posant devant le Capitole,
— lui, posant devant la statue de la Liberté,
— lui, etc.

Le capitaine pratique parfaitement l'anglais, il a fait ses études aux Etats-Unis. Durant ce qui aurait dû être un interrogatoire en règle, il ne parle que de lui et je suis tout ouïe. Je fais le type intéressé, séduit par l'éminence du personnage, posant au début mille questions pertinentes, réclamant des précisions quand il le faut... Quand Kulachat a épuisé un de ses sujets favoris, il prend respectueusement entre ses doigts le bouddha qui pend à son cou, accroché à une magnifique chaîne en or, le caresse du regard et, déjà, il reprend sa conversation à sens unique. Au bout d'une heure de ce traitement, je n'en peux plus. Je suis tellement abruti que je me demande si le flot assommant du récit de ses hauts faits ne constitue pas une nouvelle technique de torture mentale qu'il aurait apprise aux USA, une « gégène » verbale. Après une heure trente, lessivé, je ne suis plus apte à écouter. Kulachat n'a plus d'auditeur. Alors, avec un regard indifférent pour la pauvre merde que je suis, il se lève tout en terminant sa phrase pour que rien ne se perde, il ouvre la porte puis m'invite à quitter les lieux. Un sous-fifre m'attend. Menottes. Retour au ballon. Je suis blême, mes jambes cèdent sous moi.

Laure me demande :

— Comment ça s'est passé ?

— Pas trop mal.

Je réponds pour la rassurer. On la fait sortir de sa cellule. A chacun son tour. Une heure plus tard, je la vois revenir dans tous ses états. Kulachat a utilisé la même technique soporifique, plus quelques variations gymnastiques. Au milieu d'une phrase, il lui a demandé si elle consommait de l'héroïne. Elle lui a répondu par la négative. Il a voulu vérifier. Elle lui a tendu les bras. Il a insisté pour vérifier si elle shootait sur les jambes, à fin d'enquête ! Laure, naïvement, a montré ses jambes qu'il s'est mis à caresser. Furieuse, elle l'a repoussé et a fui le bureau pour retourner à la cellule. Elle en tremble encore, répétant qu'elle ne veut plus avoir affaire à ce dégueulasse, enquête ou pas enquête. Kulachat s'est d'ailleurs abstenu, après cet échec, de la convoquer. Il établira lui-même la déposition de Laure en fonction de la mienne...

Le lendemain de cette journée mouvementée, le cinquième jour de garde à vue, nous réservait aussi sa part d'exceptionnel. Vers neuf heures du matin, dépité par les événements déprimants de la veille, après une nuit d'insomnie à n'attendre rien d'autre qu'une journée où il n'y a rien à attendre, les grilles d'entrée se sont ouvertes. C'est la surprise générale : Daniel fait une entrée remarquée à la police-station ! Dignement, roulant de la hanche avec une lenteur affectée, attentif à l'effet qu'il produit sur son public favori, il lance à la cantonade, comme si nous étions des milliers à attendre son apparition : « Bonjour la compagnie ! » Grand geste emphatique de la main.

Ce n'est pourtant pas tout à fait Daniel, son show manque un peu de conviction mais je l'absous aussitôt. Ça nous fait un plaisir fou de le revoir, nous qui l'avions répudié les derniers jours avant l'arrestation. On avait oublié tout l'amour qu'on lui portait, on avait même oublié de s'inquiéter de savoir s'il avait réchappé à son suicide. On avait complètement gommé de notre mémoire celui qu'on avait considéré, sans jamais le formuler, comme le responsable de notre arrestation. Pendant quatre jours, il n'avait jamais existé et maintenant, son apparition avait un goût de révélation.

On dirait qu'il arrive directement d'Amérique du Sud. Il ne lui manque que son costume rayé, son borsalino et les quelques kilos qu'il a dû laisser à l'hôpital. Il a retrouvé le goût de la séduction, ce dandysme qu'il cultivait avant de s'accrocher à l'héroïne. En pleine forme : il a eu sa cure de sommeil... Il ne se souvient de rien sinon qu'il s'est réveillé à cause des liens qui lui serraient trop les poignets et lui faisaient mal. Il ne sait pourquoi, peut-être à cause du manque, il s'était mis à gueuler et les flics, pour le calmer, lui avaient fait subir le traitement de l'annuaire ; à l'hôpital, les flics posent un annuaire sur le ventre des patients récalcitrants attachés sur leur lit et tapent de toutes leurs forces sur le bottin. C'est efficace et ça ne laisse pas de traces.

Nous sommes maintenant trois et c'est assez pour nous encourager les uns les autres. Ce soir, un petit flic est venu nous vendre un gramme de poudre et une seringue, nous hésitons, histoire de nous faire croire que nous sommes plus forts que l'héro, mais bien entendu nous les achetons, en échange de ma montre. Daniel et moi nous préparons un fix :

— Juste un petit, comme ça on en aura pour demain.

Le jour suivant, on nous fait monter, le Baron et moi, pour un nouvel interrogatoire. Les machines à écrire crépitent autour de nous, aussi entêtées que des mitrailleuses. Daniel passe le premier, j'entends gueuler. C'est le Baron qui se fait tabasser. A mon tour, on me fait entrer dans un bureau. Le capitaine Kulachat est à son poste, il ne me regarde pas. Sur sa table, ma déposition, faite par ses soins, est déjà prête sans qu'il m'ait posé une question. D'un air mauvais, il me la tend et m'ordonne de la signer. Elle est écrite en thaï et je me demande ce qu'elle contient. Je veux une traduction en anglais. Sans répondre, Kulachat sort mon passeport d'un tiroir. Il regarde ma signature en dessous de la photo et, impudemment, en triste faussaire, l'imite d'un seul coup de plume. Je proteste, veux téléphoner à l'ambassade. Aussitôt, le flic qui m'accompagne, m'attrape par les cheveux, me tire la tête en arrière et je reçois de la part de Kulachat un coup de poing dans le ventre qui me casse en deux. Dans le même mouvement, toujours maintenu par les cheveux, je me retrouve à terre et reçois un magistral coup de pied dans les reins, les mains du flic s'agrippent de nouveau à mon cuir chevelu pour me relever et me tirer comme un vulgaire sac d'os hors du bureau sacré. Me maintenant d'une pression ferme, il me fait dévaler les escaliers jusqu'à la cellule. Quand il me relâche enfin, il a déjà sa matraque à la main, au cas où je me rebifferais. Je n'insiste pas. Je n'insiste pas... Les reins me font mal et j'ai l'impression que mon cuir chevelu est en lambeaux.

Enfin le week-end. Personne ne vient nous déranger. Les flics de service nous vendent de la poudre, nous essayons de ne pas trop en abuser. Vainement...

Lundi est le jour J : d'abord le tribunal et ce soir, la prison. Emplis de dope, nous ne sommes pas inquiets.

Vers neuf heures du matin, on nous fait sortir de la cellule. Nos affaires sont là, elles ont, de toute évidence, été pillées, on ne nous permet pas de vérifier. Menottes. Nous descendons au rez-de-chaussée. Nos sacs sont lourds. Nous nous tassons au fond d'une grosse jeep bâchée, nos bagages encombrants sur les genoux. Deux flics montent aussi. Celui qui braque le pistolet mitrailleur sur nous a un regard fixe derrière des lunettes trop grandes pour lui. Bizarre. Son physique chétif et obstiné fait penser à un spermatozoïde, même le casque. Un casque blanc qui lui casse le visage en deux. Il n'a pas l'air vraiment humain. Ses doigts crispés sur la détente de l'arme ont l'aspect gris d'une main de cadavre qui aurait longtemps séché au soleil. Pendant le voyage, je n'arrive pas à le quitter des yeux. Il ne bouge pas. Tétanisé, il ne manque pourtant pas un de mes gestes. Je me demande si cette créature est capable d'un sentiment. J'ai l'intuition d'une injustice, qu'il me déteste. A quoi peut-il bien penser en ce moment ? Intrigué par sa fausse immobilité, je pressens qu'il appartient à un univers auquel je suis étranger. Je ne sais pas encore qu'il participe d'une matière inconnue de moi que seule l'Asie sécrète. Une substance brute, sereine, sans passé, sans futur, un ordre essentiel, celui du nombre, à la fois indifférent et fanatique, qui, petit à petit, est capable, comme au Vietnam, de renverser le cours de l'Histoire.

Nous contournons maintenant le tribunal : imposant blockhaus, métaphore lourde et trapue qui vous écrase du poids de ses inepties. Ainsi la sentence maximale pour meurtre est-elle de sept ans, mais pour simple consommation d'héroïne, il arrive qu'un Thaï soit condamné à deux cents, parfois trois cents ans, selon l'humeur du juge qu'il ne verra d'ailleurs jamais...

Nous sommes arrivés. On nous pousse dans un hall sombre et sans air où sont déjà entassés une centaine d'inculpés. Certains sont des gamins n'ayant même pas atteint la puberté, il y a aussi de nombreux vieillards recroquevillés par terre, coupables d'être grabataires et sans famille. En Thaïlande les hospices n'existant pas, les prisons les remplacent. Au milieu d'eux j'aperçois Rodney. Lui aussi a été arrêté !

On emmène Laure dans le quartier des femmes sans que je m'en rende compte. Je l'entends qui m'appelle. Deux matonnes lui font passer une porte, nos regards se rencontrent une dernière fois, avant des années. Nous ne le savons pas et pour l'instant, comme moi, elle a peur.

Je réprime aussitôt l'angoisse que je sens venir. Etre fort alors que je voudrais appeler à l'aide. Seul et totalement dépendant, c'est dans cette contradiction que je vais devoir survivre désormais des milliers de jours et de nuits. Laure, mon frère, ma mère, tous ceux que j'aime m'encombrent, je saurai les refuser, j'éclipserai leur présence de l'autre côté du mur. Je le veux ! Je dois faire vite : la grille de la cellule s'est refermée.

Je veux déjà me mettre dans la peau du prisonnier, sans même connaître encore sa véritable condition. Etrangement, je n'ai pas le sentiment d'une injustice. Je ne me sens pas menacé par la tension qui règne ici et déforme chaque visage attentif.

Nous sommes installés Daniel, Rodney et moi, contre une grille qui donne sur une cellule déserte où l'air semble moins épais. Il fait chaud pourtant. Les carcasses de deux ventilateurs mastodontes pendent du plafond, immobiles depuis longtemps.

Les matons s'agitent. Il se prépare quelque chose d'important. Ils ouvrent précipitamment l'immense cellule vide. J'entends le moteur d'un camion qui manœuvre, s'arrête, puis le grincement des grilles que l'on a du mal à écarter. Alors, un cliquetis infernal de ferrailles entrechoquées sort du camion et envahit les lieux d'un vacarme impressionnant. Chacun de nous se dresse. Ça vient de droite, par là où nous sommes arrivés. Cling, cling, cling... Des voix résonnent. Elles comptent :

— *Nung ! Song ! Sam ! Si !...*[1]

Puis, ils apparaissent, l'un après l'autre, au pas de course, rythmés par le métronome des chaînes : une centaine de détenus. J'appréhendais une vision apocalyptique de corps décharnés aux visages marqués d'effroi, écrasés par la fatalité. J'espérais surtout voir apparaître, dans ce moment lyrique, une légion d'êtres sublimés par leurs entraves, des demi-dieux au regard froid et lointain, faisant claquer leurs chaînes sur les dalles de ciment... Je ne vois passer devant moi qu'une

1. Un, deux, trois, quatre...

décevante colonne de futurs condamnés, cloisonnés dans leurs médiocres inquiétudes. Je reste sur ma soif de romanesque ; en fait de pathétique, il ne reste que moi et le sentiment de m'être abusé.

L'air ne vibre plus. Toute solennité s'estompe. Alors, une rumeur d'abord imprécise gronde puis s'élève, lourde. Ils sont des centaines et des centaines, dispersés dans les cellules, à avoir reconnu dans les nouveaux arrivés un frère, un fils, un voisin, et ils se transmettent les nouvelles de la ville, du village, les messages de la famille. Ces effusions me semblent tellement dérisoires !

Quand les familles des inculpés sont autorisées à pénétrer dans la cour intérieure du tribunal, le brouhaha devient infernal. Ça gueule, ça braille de tous les côtés. On se croirait à la bourse. A plusieurs reprises, il me semble entendre mon nom au fond de cet imbroglio sonore : « Lerco ! »

Cette fois, j'en suis sûr, on m'appelle. C'est ridicule, personne ne me connaît ici. J'essaie de localiser la voix. Alors j'aperçois Visvassam interpellant un flic à galons. Il se fait ouvrir la porte d'entrée et, grasse majesté, approche jusqu'à nos barreaux. La sueur qu'il éponge régulièrement dégouline de son front, sa mine est réjouie, il ne cache pas son plaisir de me voir ici. J'aimerais lui dire d'aller se faire foutre mais je veux savoir. Je veux savoir comment il a appris mon arrestation.

— J'ai reçu un coup de téléphone de l'ambassade, je suis aussitôt allé à la police-station où j'ai lu les rapports vous concernant.

Il me dit que le mien est très mauvais. On m'accuse d'être un trafiquant international, chef d'une organisation : je suis passible d'une peine

73

illimitée. C'est-à-dire de dix à deux cents ans. Mais tout ça, me fait-il comprendre, c'est de la vulgaire mathématique. En général, le nombre d'années est inversement proportionnel à l'argent qu'on débourse. Peut-être même que je pourrais sortir... si je suis assez riche. Il éclate de rire, d'un rire raclé, d'un rire tel que j'ai l'impression que sa moustache, assortie à sa cravate, va se décoller. Ce fantoche d'avocat se moque de moi et me postillonne au visage. Je me retiens pour ne pas l'étrangler. Comprenant immédiatement mon humeur, il se calme. Il prend un air grave. Retrouvant son sérieux, il sort ses lunettes de son attaché-case et continue son pilonnage en m'informant de ce que, par-dessus tout, je redoutais : Laure serait poursuivie pour la même charge que moi. Ceci, en vertu de la loi thaïlandaise dont un article stipule que, si dans un certain lieu la police découvre de l'héroïne, chaque personne présente dans ce lieu sera poursuivie, qu'elle soit impliquée ou non dans l'affaire, pour la totalité de la drogue saisie. Cette énormité juridique fait que, dans une logique tout asiatique, si trois personnes sont présentes dans une pièce où la police a découvert cinq cents grammes d'héroïne, ce n'est donc pas sur les cinq cents grammes saisis qu'elle fonde son jugement, mais sur un kilo cinq cents...

Il n'y a pas de solution légale à une telle aberration. La seule issue, toujours la même, est de payer très cher. Auquel cas la police rectifie son rapport.

Cette nouvelle m'effondre. De l'argent, je n'en ai plus. Ma mère ou le reste de ma famille en a encore moins. Les billets d'avion, la caution de

Daniel et l'achat de la dope ont englouti notre « fortune ».

« L'argent, il n'y a rien de plus vulgaire, on en trouve partout ! » m'avait dit quelqu'un. Fébrilement, je cherche dans ma mémoire qui était ce quelqu'un, un visage, un nom susceptible de me prêter l'argent de notre liberté... Intimement, je sais que personne ne m'aidera. C'est dans cette certitude que je m'assieds par terre.

Nous avons attendu toute la journée et nous n'avons pas vu le juge.

Il est cinq heures quand nous passons la première porte du Centre de détention préventive : Mahachaï. La PRISON...

Avec force cris et insultes, les matons font sortir le bétail humain entassé pour le voyage dans un camion-cage. La tête rentrée dans les épaules pour éviter les coups de bâtons aveugles, nous sautons sur le marchepied comme des forcenés pour aussitôt nous accroupir par rangs de dix dans un ordonnancement linéaire. J'apprends la première règle de survie dans une prison thaï : se tasser au sol à la vue d'un maton en affichant une humble soumission.

— *Nung, song, sam, si, ha, ho, tiet...*

Spontanément, chaque rangée se compte, l'une après l'autre. Les voix sont rauques et résonnent entre les murs de béton. Dans ma tête, je compte moi aussi. Le fil sonore approche, c'est mon tour. Je gueule mon numéro en anglais, je suis le cent dix-neuvième. Ma voix claque, un silence menaçant me fait frémir. Apparemment, j'ai commis ma première faute et par réflexe, je m'écrase encore plus sur moi-même alors qu'un jeune garde bienveillant — je découvrirai qu'il en existe —, afin de m'éviter des représailles que je sens imminentes, me fait signe d'aller me poster en queue de groupe. Mon voisin thaï, au moment où je m'apprête à me lever, comme si j'allais commettre un sacrilège fatal, m'attrape par la manche. J'ai compris : je dois me déplacer accroupi pour aller rejoindre le fond du sas où Daniel et Rodney, eux, sont casés. Daniel, ayant déjà passé trois semaines dans cette prison, en connaît les rites mais il ne m'a pas prévenu. Déjà, la doctrine du « chacun pour soi et Dieu pour tous » est entrée en vigueur... Chacun pour soi : dans le futur, je saurai que cette règle insensée est commune à toutes les prisons du monde ; je me répéterai ces trois mots des milliers de fois avant qu'ils deviennent, malgré moi, un réflexe. Personne n'échappe à l'aliénation carcérale qu'engendre cet individualisme farouche. Jour après jour, année après année, le prisonnier se rétracte dans une solitude forcée qui laissera une cicatrice indélébile. C'est devenu un cliché de dire qu'en prison on devient définitivement asocial. Pourtant...

Pour l'instant, je me sens trahi par Daniel et je suis plein de rancune.

Un maton est arrivé avec un bol qu'il pose à ses pieds. Il s'enrobe l'index d'un morceau de plastique qu'il fixe avec un élastique de pot de confiture et le trempe dans ce que contient le bol. Sur un signe, le premier taulard se lève prestement, baisse son pantalon, écarte les jambes. Automate, agrippant ses fesses, il expose son anus au phallus improvisé. Personne ne semble affecté par ce spectacle. Pas trace de dégoût sur le visage du patient. Tout va très vite, à une vitesse industrielle. On se lève, on baisse sa culotte. Le doigt pénètre dans les entrailles avec la régularité mécanique d'un piston de voiture. C'est à moi. Je me lève. Le doigt accomplit sa besogne. Déjà je remets mon pantalon, je n'ai rien senti, je n'éprouve rien. Rien que de l'indifférence et cette indifférence, je la prends pour une victoire. Ce doigt dans le cul, c'est longtemps après, après ma libération, que j'en sentirai l'humiliation.

Nous pénétrons à l'intérieur de la prison entre six heures et six heures trente, demi-heure magique où, à Bangkok, le poids de la nuit se mélange insidieusement à la clarté déclinante du jour pour donner aux lieux un aspect sans relief et où, par un étrange effet d'optique, les objets, d'abord, semblent plaqués sur une toile raide, puis brutalement, comme s'ils étaient bousculés, s'en détachent en prenant des proportions énormes.

Daniel m'avait raconté la prison de Mahachaï mais c'était autre chose que je percevais. Plus j'essayais de m'imprégner de l'atmosphère occulte, de l'odeur de décomposition qui aurait dû émaner de son récit, plus j'éprouvais une sensation de vide infini. Je photographiais d'abord rapidement le décor, avec la même absence d'émotion que l'aurait fait un employé des Ponts et Chaussées. Six bâtiments parallèles, trapus, aux murs moisis, tous identiques par leur aspect féodal, se tassent, ne laissant entre eux que d'étroits passages, sur un marécage sablonneux.

Face à eux — plus discrets de proportions —, de chaque côté de la grille d'entrée : à gauche, un bâtiment de bois à un étage, sur pilotis, qui s'avérera être l'hôpital-morgue ; à droite, un bâtiment semblable aux six autres mais plus petit, qui me semble malfaisant. Le futur confirmera ce pressentiment car c'est le building des étrangers où je passerai mes six premiers mois de détention, les plus pénibles. Au centre de ce cadre sommaire, vis-à-vis de la grille d'entrée, se dresse ce que je suppose être la Kommandantur : un immeuble moderne, anachronique, sur une plate-forme de ciment, comme un monument sur son socle. Une fois l'inventaire des lieux accompli, je peux apercevoir dans le fond une imposante cheminée donnant à ce paysage une allure de « déjà vu ». Ce n'est pourtant que la cheminée des cuisines, bizarrement trop haute.

Il est tard. Les matons qui auraient dû finir leur service une demi-heure plus tôt deviennent nerveux et un Thaï infortuné reçoit, pour une raison secrète, un coup de matraque en travers du visage. Il ne fait rien pour se protéger, ne laisse échapper aucune plainte, bien que le sang lui inonde la bouche. Il baisse seulement les yeux dans une attitude de coupable. Sans perdre plus de temps à ce genre de broutille, qui, en l'occurrence, est une invitation à nous presser, à marche forcée nous traversons l'étroite prison silencieuse. La lumière aveuglante d'un projecteur suit consciencieusement notre piètre cortège, s'éloigne pour fouiller un coin oublié, puis, obstinément, revient sur nous. Nous nous accroupissons devant l'entrée d'un bâtiment dont les dimensions sont plus imposantes que je ne le croyais. Le projecteur ne nous quitte plus, nous sommes ses favoris. Tout est silencieux. Un des matons appelle. J'entends sa voix résonner. Puis, à l'intérieur, un bruit de clefs qui s'entrechoquent, lointain. J'imagine alors un couloir le long duquel des pas traînent, s'approchent. Un vieillard squelettique, en maillot de corps, que notre arrivée a dû réveiller fait grincer la double grille d'entrée pour l'entrouvrir. L'un après l'autre, à un mètre de distance, une fois de plus, nous nous comptons.

— *Nung, song, sam...*

La première cellule sur la droite, immense salle sans fenêtres, est ouverte. On nous entasse sur son sol de ciment pour cette première nuit d'oubli. Je suis épuisé. La journée a été interminable mais, comme la majorité des autres détenus, je ne dors pas. Je n'ai pas shooté depuis ce matin et le manque commence son harcèlement habituel. J'attends l'aube. Daniel se ronge les ongles. Je ne sais pourquoi, sa présence m'est désagréable. Rodney a engagé depuis le début de la nuit une discussion passionnée avec son voisin thaï. J'essaie de penser à autre chose, à Laure, mais, déjà, tout semble relégué dans un passé qui n'existe plus, qui n'a peut-être jamais existé... Je me souviens de l'époque où j'étais un petit garçon qui n'irait jamais en prison.

Comme toujours, lorsqu'un junkie est en manque et qu'il essaie de s'agripper à quelque chose de tangible et de rassurant, les souvenirs se dérobent et la réalité se mélange à la fiction pour ne laisser dans son esprit qu'un immense sentiment de confusion, où seul le fix de demain est une valeur sûre. J'attends le matin.

La clarté du jour m'a surpris dans cet état de détresse où j'essayais vainement d'intercepter des images pour meubler le temps. Les Thaïs de la cellule sont assis jambes croisées, dans la position du lotus, et guettent, immobiles, le coup de sifflet annonçant la prière. Soudain, de chaque bâtiment, sortant de chacun des six mille gosiers de Mahachaï, la lancinante litanie bouddhiste submerge pour un instant les haines, les souffrances, les solitudes, dans un même appel à la clémence divine.

L'appel aux dieux, qui se foutent pas mal de nous et doivent se marrer à notre spectacle, est terminé. Les portes s'ouvrent enfin, il est temps de passer aux choses sérieuses. Rodney, Daniel et moi sommes dirigés vers le building des étrangers pour y être incorporés. Nous échappons ainsi à la corvée du matin, progressons au milieu des balais qui s'affairent, des seaux d'eau qui éclaboussent. Atmosphère de caserne qui donne à la prison un aspect presque humain.

Le bâtiment 4, où, par zèle, on nous fouille une dernière fois, est en apparence moins sinistre que les autres. Il y a même un pot de fleurs rachitiques de chaque côté de son entrée. Daniel retrouve Benny, un Américain beau gosse qu'il avait connu lors de son premier séjour. Benny, bien qu'il mesure dans les un mètre soixante-quinze, ne doit pas peser plus de soixante kilos. En instance depuis deux ans de jugement pour détention de quatre grammes d'héroïne, il a perdu tout espoir. Il semble que les juges aient confondu son dossier avec celui d'un autre. Il y a un mois, si son ambassade n'était pas intervenue, il aurait été condamné pour exportation d'un kilo de « brown sugar [1] »...

Benny a pris contact avec un pusher thaï afin de nous obtenir un fix. Surexcités, hypertendus par le besoin, nous devons attendre que la corvée du matin soit terminée.

Alors, l'un après l'autre, à distance respectable nous progressons parmi la masse des Thaïs entre les buildings 5 et 6, le long d'un caniveau pestilentiel, sur un chemin de terre coupe-gorge appelé la « shooting-gallery ». Je ne me sens pas en sécurité. J'essaie vainement de deviner qui sont les pushers, j'espère un signe jusqu'à ce qu'une main attrape mon avant-bras, pour faire garrot, et que le « docteur », avec une précision extraordinaire, sans presque regarder, à l'aide d'une aiguille montée sur un stylo à bille dans lequel il souffle, m'injecte la « potion » et disparaisse aussitôt dans la multitude. J'en suis abasourdi ! Ça s'est passé en trois secondes à peine, et ce, à cinq mètres d'un maton ! Je ne savoure pas encore la chaleur réconfortante du shoot que déjà Rodney me rejoint et dit :

— Putain, j'ai rien vu !

Plus tard, nous apprendrons le fonctionnement des commandos de la poudre : en général, des équipes d'une dizaine de personnes.

Au centre, le dealer reçoit la dope d'un garde pour lequel il travaille et à qui, chaque fin de semaine, il verse une somme convenue en argent,

1. *Brown sugar* : héroïne n° 3, en cristaux brunâtres

parfois en paquets de cigarettes ou en bijoux, convertibles au « shop » de la prison. Le dealer thaï, pour son commerce, dispose de trois ou quatre pushers payés au pourcentage — une dose pour dix doses vendues — ainsi que de quelques hommes de main n'hésitant pas à planter un couteau dans le dos du client insolvable quand, exceptionnellement, on lui a fait crédit. Mais l'élément essentiel, le plus précieux, c'est le docteur : un professionnel de la seringue. C'est lui qui prend le plus de risques. Funambule, en équilibre précaire sur la pointe de son aiguille, pour ne pas être repéré, il doit être infaillible. D'une dextérité, d'une rapidité incroyable, il opère cent, deux cents fois par jour sans jamais rater une veine ni se faire prendre. Ce kamikaze respecté comme un dieu, personnage sacré, mythique, tant il est difficile à identifier, dispose dans sa mission d'un porte-flingue qui transporte le matériel — shooteuse et cuillère — afin de diminuer les risques de son boss au moment des fouilles, et repère le bras des clients à soulager pour le garrotter de ses deux mains. Enfin, à cette équipe de permanents s'ajoutent les guetteurs, en nombre toujours différent, au regard plus ou moins attentif suivant que les journées sont « chaudes » ou pas. Eux, ils sont payés une ou deux doses par jour en fonction des bénéfices. Si le docteur est surpris par un garde, le dealer fera tout ce qui est en son pouvoir pour le récupérer, il le rachètera à prix d'or : les bons docteurs sont rares ! Le dealer, lui, quand il est pris, reçoit quelques coups et se retrouve à la chambre noire. Il est rançonnable et il le sait. Il agira donc en conséquence : par un intermédiaire choisi, il fera parvenir au commandant courroucé le prix de sa tranquillité.

A côté de ces réseaux, subtilement organisés, il en existe une multitude d'autres, souvent éphémères, dont l'importance varie selon les moyens mais dont le pilier central est, toujours, le docteur. Le commerce le plus courant est celui du petit dealer occasionnel qui reçoit de son frère, de sa sœur, de sa mère ou de son père, qui viennent le visiter, de petites quantités de drogue qui l'aideront à subsister : l'héroïne en Thaïlande coûte moins cher que la nourriture...

A un autre niveau, il y a les requins : les taulards professionnels qui s'arrangent — voyage d'affaires — pour passer régulièrement un ou deux mois en prison afin de remplir leur compte en banque. Pour ça, ils se font arrêter par un cousin ou un beau-frère appartenant à la police, après avoir avalé, bien empaquetée, une centaine de grammes. Arrivés à Mahachaï, ils défèquent leur marchandise et installent leur commerce.

Ces businessmen cyniques sont bien connus des gardes : ils viennent tous les ans. De l'extérieur, chacun d'eux a contacté des matons qui vont organiser pour lui son équipe afin qu'il ne perde pas de temps. Ainsi, il pourra opérer dès son arrivée. Ce *kaï-haï*[1] va constituer, avec ses cent grammes, douze mille doses, grosses comme une tête d'épingle, soit cent vingt minuscules paquets par gramme... A raison de dix baths la dose, cela représente une somme de cent vingt mille baths :

1. *Kaï-haï* : grosse tête (littéralement : cheville enflée).

trente mille francs [1]. Par l'intermédiaire de ses matons séides, il instaurera la terreur, guerre économique visant à éliminer ses concurrents. Deux mois plus tard, à sa levée d'écrou, reconnu innocent — son complice de la police-station a retiré son simulacre d'accusation —, après paiement de ses employés et protecteurs, il lui restera à peu près la moitié de ses bénéfices : soixante mille baths, c'est-à-dire l'équivalent de quinze mille francs. Une somme fantastique en Thaïlande si l'on songe que le salaire moyen d'un ouvrier n'excède pas deux cents francs par mois. Les gardes, eux, sont payés trois cents francs (ils bénéficient en plus d'une prime de risques).

Autour de cette structure de base de la société carcérale thaï, celle de la dope, s'enroule un maelström de rivalités inextricables entre gardes, castes de prisonniers, etc., dont le dénominateur commun est la concussion : tout se paie, la protection du prisonnier, celle du garde, celle de ses supérieurs... Et cela dans la tradition asiatique du respect quasi mystique dû au plus fort.

Dans les geôles thaïlandaises, quatre-vingts pour cent des détenus sont des *heroin cases*, la plupart déjà addicts. Les autres ont toutes les chances de le devenir. Le marché de l'héroïne y est donc l'élément primordial. Directement ou indirectement, la gent en uniforme a sa part du pactole ! Le commandant de la prison, souverain omnipotent, touche, lui aussi. Le maton en mal de promotion, enrichi du pognon de ses protections, lui versera le prix de son avancement. Ainsi, au

1. 1 bath : 25 centimes (en 1978).

début de chaque année, dans la période où les gardes sont notés en vue de leur ascension professionnelle, une compétition farouche s'engage entre gardes à barrettes — les sous-officiers —, pour obtenir le titre de noblesse que confère une étoile d'officier sur l'épaulette de leur bel uniforme. Durant deux semaines, la prison devient un véritable champ de bataille où les matons, entre eux, en arrivent aux mains quand ils veulent rançonner un même pusher : « La guerre des étoiles vient d'être déclarée », c'est le titre que, par dérision, les prisonniers donnent à cette minable pantomime.

Intrigues, rackets, coups, ambiance relevant du cauchemar : les pushers pressurés jusqu'au sang, s'ils veulent rester en vie, payent un tribut exorbitant à l'ambition du garde le plus « convaincant », c'est-à-dire qu'ils lui remettent la totalité de leurs gains. Car l'étoile tant convoitée s'achète au commandant qui attend, au milieu de la tourmente, dans son bureau à air conditionné d'où il ne sort jamais, que les dignes vainqueurs déposent à ses pieds le prix des honneurs.

De même si, durant décembre, la répression est féroce, c'est tout simplement que les matons, du haut en bas de l'échelle, ont besoin d'argent. Les fêtes du nouvel an approchent... Plus banalement, il suffit que le commandant ou consort ait perdu aux cartes pour que le *squeeze* par la terreur s'installe.

En 1979, quand je serai dans une autre prison, le commandant de Mahachaï se verra arrêter et muter par la brigade anticorruption. Cette *squad*, par ailleurs elle-même fortement corrompue, a été créée par les Américains en 1977, pour lutter contre la concussion...

Ce matin, en l'approchant, nous pouvons constater, Daniel, Rodney et moi, que le bâtiment 4 contraste, par sa tenue soignée, avec le reste : murs fraîchement peints, petit air bucolique grâce à ses pots de fleurs.

Le capitaine aussi a un air plus rassurant, moins fruste : petit personnage débonnaire et rondelet, portant sourire comme d'autres portent moustache, impeccablement vissé dans son uniforme. Si les Thaïs connaissaient la naphtaline, il en aurait l'odeur. Il nous attend sous le porche, pétillant, dodelinant du chef d'un air de dire : « Encore trois jeunes gens de bonne famille égarés sur nos chemins sinueux... »

« Rocking-Chair », c'est le nom que lui ont donné « ses enfants », se plaît-il à nous dire. A cause de ses chaussures dont la semelle est étrangement recourbée en arc de cercle, et sur lesquelles il se balance comme ces cendriers à pied qui ne tombent jamais. Il nous accueille à bras ouverts ·

— *Good morning children !*

Rocking-Chair m'est tout de suite suspect, bien que je sois sensible à la chaleur de l'accueil. Ici, au building 4, tout le monde éprouve de l'affection pour ce personnage équivoque. Dès ma première rencontre avec lui, je suis intrigué, désorienté, j'ai l'impression qu'il est faux et pendant deux mois, je vais l'observer, l'analyser, je vais m'efforcer de le décortiquer. Joueur d'échecs impénitent, stratège qui neutralise mais n'use jamais de violence

86

— sinon par procuration —, Raspoutine, car c'est bien d'un Raspoutine qu'il s'agit, me laisse perplexe.

— Nom ?

— Prénom ?

— Date de naissance ?

— Profession ?

Un prisonnier prend note de nos curriculum vitae. On nous conduit dans la chambre — euphémisme dû à Rocking-Chair — du deuxième étage, donnant sur les escaliers. Nous sommes vingt-huit là-dedans. En fonction de l'ancienneté, l'espace attribué à chacun a été délimité à la craie sur le plancher de bois infesté de punaises. La plupart des prisonniers, tous des étrangers, sont accusés de délits mineurs et bientôt vont sortir sous caution. De ce fait, l'atmosphère n'a pas la gravité figée de celle des cellules thaïs. Ici, on a l'impression d'avoir affaire à un centre d'hébergement de la Croix-Rouge et ça me fout le cafard...

En ce qui concerne les étrangers dans les prisons thaïlandaises, apparemment, le problème est simple : ils ont de l'argent. L'Occidental est, par définition, un riche. Ce qui est souvent vrai. Néanmoins il est aussi le plus vulnérable dans ce chaos organisé, cet univers insolite qui n'est pas le sien.

Ce premier après-midi de ma première journée en prison, j'ai l'impression désagréable de ne pas avoir assez shooté. Comme j'ai pris la résolution de ne pas fixer plus d'un paquet par jour, j'exécute mon tour de passe-passe mental habituel — j'ai beau le savoir, c'est plus fort que moi : je fais croire à ma bonne conscience qu'il serait utile

d'aller faire un tour pour profiter du soleil...
Daniel et Rodney ont lié amitié avec un Australien qui vient de rentrer de la visite, un paquet de nourriture dans les bras. Tous les trois se goinfrent littéralement. Je tape une banane à leur nouveau copain, pour le principe, car je n'ai pas vraiment faim. Je me traîne dehors, le soleil est fort, l'air est lourd, je me sens un peu faible, j'ai un peu le vague à l'âme. Ce que j'aimerais me faire un shoot !

La shooting-gallery est vide de l'effervescence de ce matin. Quelques types indifférents, accroupis, une assiette de riz brun entre les pieds, mâchent consciencieusement leur pâtée. Où sont les autres ? Je traverse la shooting-gallery, arrive près des cuisines. Les Thaïs, en bloc, sont là, immobiles, agglutinés, autour d'un point invisible. Que se passe-t-il ? Je suis attiré malgré une certaine méfiance. Je ne sais pas pourquoi, je me sens mal à l'aise, indiscret, indécent, bien que les Thaïs m'ouvrent un passage. J'essaie de voir pardessus des centaines de têtes. J'entends. J'entends avant de voir. J'entends des coups. Ces coups, en eux-mêmes, ont une résonance douloureuse. Et, aussitôt, je vois.

Un amas sanguinolent recroquevillé par terre, un gros insecte semi-humain, émet une plainte imperceptible. Silence. Je suis pris de panique, j'ai envie de gueuler, de tuer en même temps que j'ai envie de fuir, de disparaître, de ne pas être témoin. Je vois un garde, nonchalant, avec des gestes de maçon italien, un peu lymphatique, prendre à deux mains un parpaing et écraser la tête de la bestiole... Le garde sort une cigarette de sa poche et l'allume.

Cette image reste un instant suspendue devant tous les yeux. Je suis là, hypnotisé, même pas hébété, avec le sentiment confus d'avoir « subi » une initiation. Déjà les spectateurs se sont dispersés. Il n'est rien arrivé... Je fais comme eux, je me disperse en moi-même, tout en retournant au building 4, là où il fait bon vivre.

J'apprendrai le lendemain que ce « condamné » était coupable d'avoir consommé de la dope non officielle. Ici, la mort est fonctionnelle, dissuasive.

Les jours ont passé puis sont devenus des semaines. Je faisais l'apprentissage de la détention. J'apprenais. J'apprenais que Rocking-Chair, un puritain, le seul flic de Mahachaï à détester la dope, disposait d'une armée d'indicateurs qui occupaient leur journée à espionner les farangs. Rocking-Chair connaissait donc tous nos faits et gestes. Il savait que nous allions chaque matin shooter chez les Thaïs de la shooting-gallery mais il « laissait faire », ou peut-être attendait-il... Bien qu'on finisse par détecter les indics, même perdus dans le magma des six mille visages, il devenait dangereux d'aller là-bas. Il fallut donc nous organiser nous-mêmes mais le système du stylo à bille demandait une dextérité, une science que seul possédait un « docteur ». Pour nous, cette technique présentait trop d'inconvénients. Une fois sur deux, nous perdions le « précieux » liquide, sans compter les risques d'empoisonnement par la salive du souffleur. Aussi, nous avions trouvé un autre moyen. Avec un compte-gouttes volé à l'hôpital — sordide endroit où l'on devait payer pour être soigné —, nous nous étions fabriqué une seringue américaine. Pour acheter l'héroïne, nous partions tous les matins, dès sept heures, à l'ouverture des portes qui permettaient la circulation entre les bâtiments, chacun de notre côté de façon à désorienter nos anges gardiens. Mêlé à la foule, l'un de nous faisait rapidement la transaction avec un pusher. Il lui fallait être rentré avant la fermeture des portes, à neuf heures, avec le paquet de dope de toute la cellule dans sa bouche, un gramme sommairement emballé dans du plastique. Le partage avait lieu à son retour. S'il était fouillé, il avalait le tout, défoncé pour le reste de la journée...

Les gardes ont fini par repérer notre manège et un jour j'ai été surpris en train de me shooter. Rocking-Chair était en congé et le maton qui m'a pris savait que j'étais solvable : mon frère était à Bangkok et venait régulièrement me rendre visite. Je n'aimais pas ce maton aux oreilles décollées, je l'avais vu à plusieurs reprises torturer des types qui ne s'étaient pas accroupis sur son passage. J'ai refusé de payer. C'était agir contre toute raison, il ne m'en aurait coûté que quelques dollars, mais je méprisais cet enfoiré. Je ne me suis pas soumis à l'extorsion. Il a établi un rapport que je n'ai pas signé et m'a aussitôt conduit au building 1, le *dark-room*.

Le dark-room, sa seule évocation faisait trembler les plus anciens des Occidentaux. Il évoquait le sadisme de l'Asie moyenâgeuse.

Fin psychologue, pour me laisser le temps de réfléchir sur cette angoissante perspective et accepter ses conditions, le garde m'a fait faire le grand tour de la prison. Oppressé, crispé, je n'ai pas cédé. Par orgueil. Peut-être, par curiosité...

Wichaï, c'était son nom, m'a remis entre les mains de son confrère, chef du dark-room, un énorme mandarin à la voix compassée, aux propos confucéens qui se révélera plus tard être une véritable ordure, caractérisée par une fascination hystérique pour le sang.

Le building des punis se situe à l'extrême gauche, en retrait par rapport au reste de la prison, à proximité du mur d'enceinte. Un bâtiment fermé sur son énigme, sans fenêtres, sinon une meurtrière tous les cinq mètres sur deux étages. Forteresse maudite, qu'il est interdit à quiconque d'approcher à moins de trente mètres : mesure d'isolement, entretenant la peur par le mystère. Le périmètre délimitant la zone « occulte » est constitué par une suite de poteaux insolites, sans barbelés.

Personne n'est sûr de ressortir vivant de la chambre noire. Il s'y perd des âmes, aussi bien thaïs que farangs. Récemment, un Italien y a été assassiné. Deux ans auparavant, un Allemand et un Américain y sont morts de façon étrange. Pour ce qui est des Thaïs disparus, on ne les compte pas. La commission d'enquête qui a suivi le décès de l'Italien, a constaté une mort par coups. Enquête qui n'a bien entendu jamais abouti. Mais depuis, les gardes ne sont plus autorisés à frapper les étrangers selon leur bon plaisir, sinon modérément, si la raison est avouable... Cette clause leur laisse tout de même une bonne marge de manœuvre !...

On me fait accroupir. Hypocrite — c'est la solution —, je m'exécute comme le veut la règle. Les yeux au sol. Regarder un supérieur dans les yeux n'est pas, en Asie, une marque de respect, c'est une insulte, un geste de défi à l'autorité. Le chef du dark-room, ce tas de graisse-bureau, se saisit de mon rapport, hoche la tête, me donne un coup de matraque paternel sur le sommet du crâne. J'ai le réflexe de riposter. Télépathes, les matraques des gardes alentour se raidissent. Pas fou, je leur fais un sourire. Un maton me prend par le bras, « gentiment » me conduit à l'autre extrémité du couloir.

Une porte de silence tous les cinq mètres.

Un auxiliaire me rase la tête. C'est frais. Une de ces portes est ouverte.

Trois cents paires d'yeux hallucinés — plus tard je compterai, il n'y en avait que trente-trois — et je pénètre dans la puanteur suffocante de ce qui est le cauchemar de toute la population carcérale. Les Thaïs, avertis par le bruit des clés, se sont tassés au fond : habituellement, quand la porte s'ouvre, ils prennent des coups de bâtons. Je ne peux apercevoir qu'un grouillement de visages blafards. La porte se referme sur cette nuit humaine et, plus tragiquement, sur moi. L'écœurement me saisit à la vue de cette cave de dix mètres de long sur cinq mètres de large. Au coin, dans le fond, la cuve à merde en bois, recouverte d'un morceau de carton. Au centre, un pot de terre pour la flotte. Déjà, les moustiques m'assiègent. Je m'assieds sur le sol de terre battue. A la mousson ce sera un tas de boue, véritable marécage intérieur. Dans cet endroit, le plus insupportable, la chaleur sans oxygène, mêlée à l'odeur de la merde, envahit tout, tellement elle est constante, tellement elle est épaisse. Tellement, que même la flotte en a le goût.

Les habitants des lieux ont repris leurs places respectives, furtivement, sans bruit. Mes yeux se sont habitués à l'obscurité. Il reste une place au fond, la plus mauvaise à côté de la cuve à merde. Je suppose que c'est la mienne, puisque je suis le dernier arrivé. C'est la règle, je n'ai pas le choix : ils sont trente-trois... En faisant gaffe de n'enjamber aucun corps (injure suprême en Thaïlande), acrobate, je vais m'y installer. Ils ne disent rien. Moi non plus. Des visages verdâtres posés sur des corps rachitiques, enfermés dans un mutisme qui n'a rien d'agressif. Rien que des yeux qui m'observent, inexpressifs. Je me sens mal à l'aise, trop différent. Ce sont des irréductibles, je ne suis qu'un farang, leur code veut qu'ils ne m'adressent pas la parole les premiers. Ils me jaugent, m'évaluent, aucune hostilité pourtant, j'en suis sûr... Peut-être de la curiosité, peut-être de l'indifférence... Le visage aussi fermé que le leur, j'attends. Puis, comme si cela allait de soi, sans peut-être m'en rendre compte, je sors un paquet de cigarettes de ma poche, le pose à un mètre devant moi. Calumet de la paix. Je me dis que ça fait un peu télé mais c'est le geste qu'il faut. Dans la chambre noire, tout est partagé. Union dans le malheur, loi des misérables, l'instinct de survie se traduit par la règle humanitaire. Ça, je le savais.

Après un moment d'incertitude casuistique, l'atmosphère s'est détendue. Celui qui semble être le chef, un Chinois sans âge, cadavérique, me demande s'il peut se servir. « *Chaï!* » (bien sûr!) Il s'assied en face de moi en faisant déplacer mon voisin sans un geste, sans un mot, et m'explique tant bien que mal, dans un anglais approximatif, que le fait de m'être installé de moi-même près de la cuve à merde, sans rechigner comme le font ordinairement les farangs, a été très apprécié. Il a une voix rauque, sans concession, qui donne confiance. Il me dit que si cette place est la seule qu'on ait laissée à ma disposition ce n'est pas par brimade, encore moins par provocation, mais simplement parce que étant le dernier arrivé, tout frais, je suis en meilleure santé qu'eux tous, moins vulnérable aux staphylocoques que le reste de la cellule. Simple mesure de médecine préventive! Par réflexe, je me méfiais, je n'y ai pas vraiment cru... jusqu'au lendemain matin.

J'ai été malade de manque toute la nuit, je n'ai pas dormi une seconde, j'ai vomi à plusieurs reprises. A l'aube, je suis à demi conscient, quand l'un d'eux me demande :

— *Nien ?* (manque ?)

J'acquiesce. Alors ils me transportent devant la porte, là où le guichet amène un peu d'air frais, un autre prend ma place près de la merde. Ils se relaieront pour m'éventer avec un bout de carton ou me faire des massages. Je ne suis jamais retourné près de la cuve. Un nouveau pensionnaire, arrivé le lendemain matin, ayant été noté *put mac* (parle trop) à son test d'entrée, y restera un mois. Cette fois-ci par brimade. Ah! j'allais oublier : ce matin-là, on m'a fait sortir de la cellule pour me poser les chaînes, ce qui a fini de sceller le pacte avec mes compagnons thaïs. Je n'étais l'objet d'aucun favoritisme de la part de l' « ennemi ». Les Américains, grâce à leur ambassade, s'ils sont punis, ne portent pas les fers. Les Thaïs, eux, sont enchaînés au moindre motif. Moi, je ne suis que Français... et par mes chaînes, je suis devenu un des leurs.

Je resterai cent quinze jours dans ce trou parce que je refuserai toujours de signer le rapport du maton Wichaï.

Une fois toutes les deux semaines, on me fait sortir pour me conduire au bureau du vice-commandant. Les yeux brûlés par le soleil, suffoquant sous l'effet d'un surcroît d'oxygène, presque héroïque, je n'ai pas signé. Si je l'avais fait, j'étais bon pour une nouvelle inculpation et un an supplémentaire. En Thaïlande, quand on signe un rapport, d'ailleurs toujours écrit en thaï, innocent ou pas, on est sûr d'être condamné. Si on ne signe pas, ça ne veut pas dire qu'on ne sera pas condamné mais ça laisse une chance. Devant la cour, on peut nier et soudoyer. Et puis, inconsciemment surtout, aux yeux des autres, je ne voulais pas déchoir. Je crois que j'étais heureux au *soeui* 27 [1]...

Au building 1, les dark-rooms vivaient démocratiquement et dans une sorte d'osmose. D'abord, pas de prière à l'aube. Pas de garde-à-

1. *Soeui :* cachot.

vous au son de l'hymne national : nous en sommes indignes... Comme la corvée des chiottes était à dix heures du matin, chacun faisait un effort pour se retenir afin de ne pas empuantir notre tanière, ou alors, celui qui n'y tenait plus chiait la nuit pendant que la moitié de la cellule dormait : ça empeste moins quand on dort.

Il n'y avait pas assez de place pour que nous puissions tous nous allonger en même temps : trente-quatre hommes dans cet espace exigu ! Tacitement, dix-sept d'entre nous s'empilaient au fond de la pièce. L'autre groupe s'allongeait tant bien que mal, mais plutôt mal que bien, sur des cartons soigneusement mis de côté pendant la journée, se couvrant de chiffons, malgré la chaleur, pour éviter les morsures des rats et des moustiques malarieux. Les cafards, eux, étaient de sympathiques coursiers. Ordinairement, les Thaïs les peignent à leurs couleurs et organisent des courses fantastiques, parfois même avec obstacles ! Les paris sont gros dans la fièvre du jeu mais il n'y a jamais de bagarre. Les Asiatiques sont bons sires, ils acceptent de perdre pour pouvoir mieux gagner. Science de l'ambiguïté... Après six heures de sommeil, c'est la relève, les allongés vont se coller contre le mur, imbriqués les uns dans les autres, et ceux qui ont veillé vont se coucher. Le reste du temps, on reste accroupis, accrochés au vide.

Chaque matin, après la corvée de merde, c'est l'heure magique que tout le monde attend. Coup de sifflet ! La serrure grince, le loquet claque quand on le tire. Mais d'abord il faut aussi se soumettre aux portes, patienter jusqu'à ce qu'elles soient toutes ouvertes. Chacun écoute le bruit des clés qui se balancent au bout d'un bras. Elles résonnent, cliquettent, se promènent, tintent le long du couloir interminable, actionnent une dernière serrure. Les muscles se tendent, tremblent. Deuxième coup de sifflet. *APNAM !* On peut sortir. Tous sont déjà hors du trou. C'est la ruée. Nous n'avons que cinq minutes, mais quelles minutes ! Le bac à flotte est situé au bout du couloir : quarante mètres. Sur toute la distance — tellement vaste pour notre confinement —, les uns sautent, les autres dansent, d'autres encore exécutent des mouvements de gymnastique acrobatique dans une explosion de défoulement extraordinaire : l'orgasme des indésirables. Arrivés au bout du bâtiment, il faut nous aligner. Le temps est compté. Face au bac, dix par dix, un bol de plastique à la main. Coup de sifflet : un bol d'eau. Trois coups de sifflet : trois bols d'eau. Eau douteuse mais quel délice ! Trois bols d'eau ! Gare aux resquilleurs ! Les matons-bâtons nous surveillent, tenant leurs grosses matraques de bambou. Un bol de trop, un tatouage récent — ils sont interdits —, des marques de shoot : les coupables s'accroupissent. Ils reçoivent, en hors-d'œuvre, un ou deux coups de pied en plein visage, on n'entend pas les os craquer, ils crachent leurs dents de devant s'ils en ont encore, saignent s'ils le peuvent et attendent, mains dans le dos, que les autres soient rentrés dans les dark-rooms. A ce moment commencent pour eux les choses sérieuses. On discute du prix :

— Qui vient te visiter ?

— Ma femme. Je lui dirai de vous remettre cent baths.

A genoux, on pleure un peu, pas pour faire appel à la pitié, simple acte rituel confortant le tortionnaire dans sa toute-puissance. Selon l'humeur du garde, le coupable reçoit dix, vingt, trente coups de bâton qu'on entend résonner dans tout le bâtiment, jusqu'à ce qu'il s'écroule, inconscient. Encore quelques coups pour être bien sûr, au cas où il simulerait... Si le type n'a pas de famille, donc pas d'argent, on le frappe un peu plus. Jusqu'à ce qu'il soit réduit à l'état de viande... S'il est mort, on le traîne par ses chaînes — deux ou trois prisonniers de confiance s'en chargent — jusqu'à l'hôpital situé à une cinquantaine de mètres. Là, le médecin établit un acte de décès mentionnant : « Overdose », et l'affaire est réglée.

Personne ne demande jamais : « Overdose de quoi ? »

Dans la cellule en face de la mienne, un type s'était fait tatouer un serpent enroulé autour de l'index. A la douche, il a été découvert alors qu'il aurait dû, par prudence, pendant les quelques jours où le tatouage se cicatrise, se passer des trois bols d'eau. Sanction immédiate. Les coups d'usage qui sourdent dans chaque soeui, tous les subissent comme un même corps, dans une même contraction, dans une même grimace. Puis, de nouveau, le silence, celui qui fait mal, avant le verdict : mort ou pas mort ?

Dans l'ombre étouffante, on écoute, on imagine, on suppute, on assassine en pensée tous ces enfants de pute à bâton. On entend enfin les chaînes qui se traînent, raclent le ciment. Des pas.

Je suis debout. A travers le guichet, j'entrevois le puni, l' « exemple » du jour qui rentre dans sa cellule, le teint gris, la main enrobée d'un torchon.

Le *building-chief*, fervent bouddhiste, celui-là même qui nous jugeait indignes de prière les jours de la semaine, et nous obligeait tous les samedis matin sans distinction de religion — bouddhistes, hindouistes, musulmans, chrétiens — à célébrer la grandeur de Bouddha en récitant des psaumes que lui-même avait composés, véritable psychopathe de la foi, venait de couper le doigt tatoué d'un coup de machette. En bon Occidental, j'en étais bouleversé. J'en aurais même chialé, je crois, au risque de perdre la face...

Quelques jours plus tard, la plaie s'est infectée, le tatoué en est mort.

Un mois après, dans le ping-pong des horreurs, la fille de Dracula — c'est comme ça que les Thaïs appelaient le building-chief — était découverte poignardée au bord d'un *klong*[1], ses deux index sectionnés fourrés dans la bouche : le jeune mort avait un frère aîné que les flics n'ont jamais retrouvé. En apprenant la nouvelle, on a tous applaudi...

En Thaïlande, où la légalité fraye avec le spirituel, seuls les tatouages religieux sont tolérés. Le tatouage profane constitue, outre une hérésie, un acte de révolte gravement réprimé : c'est un délit passible d'un an d'incarcération. En prison où

1. *Klong* : canal. Bangkok, construite sur les marécages du delta du Menam était une ville de canaux. Il en reste beaucoup.

tout le monde est torse nu, on peut lire sur certaines poitrines d'étranges hiéroglyphes, symbolisant les commandements bouddhiques. A la chambre noire, les exclus, néanmoins bouddhistes convaincus, se font tatouer la nuit, à la lumière d'une torche, de véritables tableaux, flamboyants de couleurs : rêves fous des hors-la-loi contre la sobriété didactique de l'ordre. De bannis, ils deviennent, par défi, des subversifs. Fresques bucoliques, combats épiques, farouches dragons des légendes chinoises, certains tatouages sont autant d'œuvres d'art.

Dans ma cellule, nous avions un de ces artistes des aiguilles, gracile éphèbe de seize ans... Après l'avoir vu effectuer son travail à l'aide de trois aiguilles à coudre fixées sur une tige de bambou, séduit par son talent — bien que j'aie toujours associé le tatouage à la Légion d'honneur du taulard —, dans l'univers romanesque de la chambre noire, j'ai décidé de me faire ciseler un baiser au-dessus du sein gauche. Plus tard, devant l'insistance du maître, je me ferai graver un dragon sur la hanche. En couleur !... Nous étions interdits de visite, mais, contre une centaine de baths, il était possible d'obtenir, une fois par mois, une visite clandestine de cinq minutes d'où nous ramenions de la nourriture et des couleurs à tatouage.

La nourriture reçue dans la cage du parloir était posée au centre de la cellule, pour tous. De même, si l'un de nous réussissait à faire rentrer de la dope, tout était mis dans la même cuiller et chacun avait droit à son fix. Ça faisait peu mais on s'en foutait, avec de l'imagination, c'était quand même un shoot...

Notre docteur avait fabriqué une aiguille, en aiguisant un tube d'acier sur un silex. Elle avait au moins un millimètre de diamètre. Terrifiante. A chaque injection, je devais faire un effort pour ne pas gueuler et aussitôt colmater le trou creusé par le pieu pour éviter l'hémorragie. Je passais le reste de ma journée à cautériser, en approchant régulièrement le rouge de ma cigarette. Dans la vermine omniprésente, la moindre égratignure risquait de dégénérer en abcès. Malgré ces inconvénients mineurs, dans ces moments-là, c'était toujours l'euphorie. Le shoot qui gomme les amertumes, les solitudes, quoi de plus sain...

Mais surtout, il fallait être attentif à nos pieds, nos chevilles. Tous les matins, afin d'éviter la morsure vite infectée des fers, nous étions obligés de les enrober dans des chiffons protecteurs. Certains poussaient même la coquetterie à passer des journées entières à gratter la rouille de leurs chaînes pour y chercher le métal propre qu'ils astiquaient inlassablement jusqu'à leur trouver une brillance, une dignité. Mais ceux-là, comme moi, étaient des veinards : nous avions chacun notre chaîne. Dans la cellule 36, deux Thaïs, en plus de leur chaîne personnelle, étaient attachés l'un à l'autre par une chaîne de dix centimètres de long. Pied droit, pied droit. Ventre à dos pour se déplacer. La raison : ils étaient marxistes ! Dans toute la subtilité du sadisme thaï, les gardes avaient fait d'eux l'allégorie du communisme. De communistes siamois, ils étaient devenus communistes frères siamois. Jusqu'à les rendre fous.

Au moment de mon arrivée, ils étaient « réunis »
de cette façon depuis déjà six mois. SIX MOIS.
Seconde après seconde...

Je me suis d'ailleurs toujours demandé comment ils faisaient pour satisfaire leurs besoins :
moi-même qui avais une chaîne relativement
longue, et qui n'en avais qu'une, je me retenais
des journées entières pour ne pas effectuer trop
souvent l'acrobatie qui consiste à grimper sur la
cuve et rester, crapaudesque, sur les deux planches de bois pourries et glissantes. En équilibre
précaire au-dessus de la mélasse puante, plusieurs fois je me suis cassé la figure.

Au soeui, malgré la solidarité, peut-être à cause
de la promiscuité constante, souvent, sans raison,
deux types se levaient et se « rentraient dedans »
dans un emmêlement de chaînes. Puis, sans plus
de raison, prenant probablement conscience de
l'absurdité de leur attitude, sous les acclamations
de la foule, ils retournaient à leur place. D'ailleurs, satisfaits bien qu'amochés, ils se souriaient.

Je n'ai jamais eu ce genre d'ennui. Je suis
grand, les Thaïs sont impressionnés par la taille,
ils en ont un peu peur. Mais ce qui les fascine, ce
sont les yeux clairs. Coup de chance, les miens
sont verts. Ils en ont un respect quasi religieux. Il
m'est pourtant arrivé de me battre avec un Thaï
pour une raison insignifiante mais c'était nécessaire, juste, et vital. Pour garder la face. En Asie,
perdre la face est un acte suicidaire, la déchéance
suprême, c'est se soumettre au mépris absolu de
la population. Toujours garder la face ! Etre tolé-
rant, c'est être faible et seule la force est respectable.

Au dark-room quelquefois, pour un regard, un mot, sans motif évident, la tension éclate et balaie tout. Escamotage : la sérénité asiatique s'efface brusquement pour laisser place à la démence. Chacun alors prend ce qui lui tombe sous la main et frappe sur tout ce qui tient debout. Dans ces moments de folie collective, moi aussi je dois bondir et frapper, frapper encore, avec la planche des chiottes, avec n'importe quoi ! N'étant pas initié à cette folie meurtrière, j'avais les jetons. J'avais acquis le réflexe de saisir la planche avant les autres mais une fois, je me suis fait claquer une bouteille dans la figure. Aussitôt, la bagarre s'est arrêtée, comme si un sacrilège avait été commis. On a appelé les matons qui, généralement, avec jouissance observaient, à travers le guichet, le spectacle — qu'ils programmaient d'ailleurs souvent eux-mêmes, afin que soit réglé le compte de « personnages » trop protégés auxquels ils ne pouvaient pas toucher. Moi, à moitié conscient, je me demandais ce que pouvait bien faire une bouteille dans le soeui. Les gardes sont entrés en force, se donnant le plaisir de la finition — une boucherie de coups de gourdins — jusqu'à ce que tout le monde soit roué, ensanglanté. Ils ne m'ont pas épargné. Un coup de matraque sur le front, un autre au travers du visage. Je pissais rouge. Parce que j'étais étranger, on m'a conduit à l'hôpital où un infirmier-taulard m'a recousu. Sept fils, pansement, retour au soeui. J'en garde une cicatrice sur le nez et une sur l'arcade sourcilière. Dans ma cellule, et bien que mes compagnons, la lie thaïlandaise, aient tous au moins un cadavre à leur actif, jamais personne n'a été tué au cours de ces carnages rituels, du moins pendant que j'y étais... Dans d'autres cachots, à l'heure de la douche, c'est plusieurs fois que j ai vu traîner dehors un cadavre poignardé ou le crâne fracassé.

Pour cette humanité sommaire, privée de soleil, de lumière, d'espace, le poids des murs, des odeurs, du temps, dégage une même oppression. La violence spontanée de ces sorties sanglantes avait la vertu curative d'une thérapeutique de groupe.

Après les combats, une fois les blessures soignées, en état de grâce, chacun vaquait, sans ressentiment pour l'ennemi d'un instant, à des occupations plus urbaines, artistiques, utiles même. Shoot quand il y en avait, tatouage, ménage, et surtout, métamorphoses chirurgicales.

Les Asiatiques font d'énormes complexes vis-à-vis des Occidentaux. D'abord à cause de leur système pileux qu'ils trouvent défectueux mais surtout à cause de leur prétendue « petite virilité ». Alors, pour remédier à cette injustice et malgré les risques d'infection, ils ont recours à un subterfuge : celui des billes de verre.

Maîtres dans l'art du trucage, ils arrondissent soigneusement, en le frottant sur une pierre, un morceau de verre qu'ils polissent ensuite jusqu'à obtenir une parfaite petite bille. Avant de procéder à l'opération elle-même, ils aplatissent et aiguisent l'extrémité du manche d'une brosse à dent, puis ils coincent la bille dans le trou servant à suspendre l'ustensile. Quand l'instrument est « armé », ils prennent alors leur sexe entre leurs doigts et tendent la peau du prépuce pour pouvoir mieux la percer. Ils y font pénétrer d'un coup sec la pointe aiguisée de l'instrument, qu'ils enfoncent d'un centimètre. D'une pression, ils expulsent la bille de sa cavité et retirent leur « bistouri » ensanglanté, abandonnant la boule sous la peau. Comme ces mécanos qui gonflent le moteur de leurs voitures, certains Thaïs ont le membre « gonflé », farci de billes, parfois une vingtaine, qui donnent au pénis un aspect chancreux. Mais il paraît que « ça » fonctionne...

Aujourd'hui, avec le recul, quand je pense aux cent quinze jours passés au fond de ce trou noir, réduit à l'état de rat humain, je n'en garde pas un mauvais souvenir. Au contraire, je suis satisfait du bilan. J'en suis même fier.

Après les trois mois réglementaires de chambre noire, je n'étais toujours pas sorti. Les Thaïs qui avaient fini leur temps quittaient le soeui. D'autres arrivaient. Rotation. Ceux qui avaient été condamnés partaient pour le camp de Lardyao, leur barda sous le bras, avec l'enthousiasme de la délivrance, parfois émus de nous abandonner ici... « *Mango*[1], *see you Lardyao, take care.* » Et puis ils s'en allaient.

Les oubliés, ceux qui restaient au dark-room de Mahachaï, remâchaient leur amertume. Les jours misérables se vautraient sur nous. Il semblait qu'on m'avait occulté pour toujours. Peut-être

1. *Mango :* manière qu'avaient les Thaïs de prononcer, à la fois, Armand et Lerco.

105

étais-je antipathique à Mr. No, le vice-commandant (il répondait toujours « no », avant qu'on ait ouvert la bouche)? J'avais dû le contrarier en refusant de signer la déposition de Wichaï!

De ceux que j'avais connus à mon arrivée au dark-room, il n'en restait qu'un : Noï, énigmatique braqueur de banques, toujours muet. Les « nouveaux » se ménageaient leur espace autour de nous, les vétérans, avec un certain respect...

Les requêtes que j'adressais au vice-commandant, via le building-chief, ainsi que les messages à l'ambassade, restaient sans réponse. Un jour, au culot, sans illusion pourtant, j'ai eu l'idée d'écrire une lettre à l'ambassade US. Coup de bluff inespéré, cette lettre a été interceptée par le vice-commandant qui m'a pris pour un Américain. Le cent seizième jour d'abîme, miraculeuse coïncidence, un envoyé du ministère de la Justice, accompagné du vice-consul US, ayant annoncé qu'ils allaient faire une visite surprise, l'ordre de me faire réintégrer illico le building 4 est arrivé.

Mon retour au sein de la civilisation chrétienne et bien pensante ne s'est pas effectué sans heurts. Mon exil dans la « jungle » des chambres noires avait fait de moi, aux yeux de mes confrères blancs, pour la plupart nouveaux arrivants, une sorte de saint martyr, un dur, un héros, un spartiate, un croisé retour d'Orient... Bien sûr, j'en tirais d'abord de l'orgueil mais, au fur et à mesure que la réalité du building 4 se précisait à mes yeux, je n'éprouvai plus que de l'aigreur.

Dans l' « enfer » des dark-rooms, j'avais

compté, seconde après seconde, les jours qui me séparaient du monde, de mon monde, celui que je convoitais, dont j'idéalisais les valeurs, pour mieux supporter l'attente, pour me donner une raison de ne pas déchoir. J'avais souvent méprisé les Thaïs à cause de leur animalité, de leurs superstitions, de leur obstination, de leur vide intellectuel. Illusionniste illusionné par la beauté des absents, mon désenchantement au retour du soeui a été un choc.

Rapide tour d'horizon : les étrangers de Mahachaï, mes frères de peau, alimentaient leur racisme naturel par le luxe dans lequel ils vivaient. Leur aisance matérielle était leur seule supériorité par rapport aux Thaïs, les « monkeys » comme ils se plaisaient à les nommer. Pour le reste, ils n'étaient que mesquinerie : « Tu me dois une cigarette et deux allumettes. »

Duplicité, égoïsme, veulerie, « lèche-cultage », j'avais honte d'être des leurs.

Rodney et Daniel, mes copains d'antan, par grégarisme, étaient entrés dans une seconde prison, abstraite, paranoïaque, celle qui consistait, pour ceux qui recevaient des visites, donc de la nourriture, à protéger obsessionnellement leurs biens et, pour ceux qui n'avaient rien, à s'ingénier à toutes les complaisances, toutes les humiliations afin d'hériter des quelques miettes que leur laissaient les maîtres de la bouffe.

Moi, j'avais mon frère à l'extérieur qui pouvait enfin venir me voir. Je faisais donc partie des « riches », de ceux qui détenaient le pouvoir du « tu me lèches le cul et je te donne à bouffer ou sinon tu vas bouffer le rız réglementaire ». Car à

Mahachaï, prévenus, pas encore condamnés, on ne nous laissait pas mourir de faim, on nous préservait pour le futur...

Daniel et moi avions eu un vrai plaisir à nous retrouver... comme deux vieux amis qui n'ont plus rien à se dire. On s'était serré la main. Ça va ? Ça va. Et chacun pour soi. Il se débrouillait bien, Daniel, c'était peut-être celui qui se débrouillait le mieux dans cette situation de survie où nous étions tous. Il se prostituait parfois... En prison, dans cet univers extrême, le vernis social n'a plus de raison d'être. Il se lézarde, s'effrite, puis laisse apparaître, grossie par le temps, la caricature des mentalités.

Irrationalité consommatrice des Américains qui mangent du soir au matin comme leur voiture consomme de l'essence, en quantité, on ne sait pourquoi. Mépris absolu des conventions des Italiens qui n'ont jamais rien mais s'en sortent toujours. Instinct de domination et bêtise des Australiens : j'avais toujours cru qu'ils avaient une planche à surf en guise de cerveau, mais j'ai dû admettre qu'ils n'en avaient pas ou alors, juste un bout. Ils étaient les pires. Imprévisibles, confus dans leur égoïsme, ils en arrivaient à être généreux par erreur de calcul. Mercantilisme et humour des Anglais : ça reste à prouver ! La livre sterling était trop basse à cette époque. Ils vivaient isolés. Mesquinerie des Français. Moi qui avais cru être généreux... Conformisme des Allemands. Très organisés, ils ont toujours un stock de nourriture en réserve. Opportunisme neutre des Suisses : ils passent partout, s'adaptent à tout, acceptent tout, semblent avoir tout compris

Quand ils ont, ils ne donnent rien. Quand ils n'ont rien, on leur donne quand même. Des énigmes...

Tous les grands thèmes culturels, historiques, tous les grands clichés faisaient surface, naviguaient, replongeaient, se mélangeaient au bouillon de culture de la prison qui, énorme intestin, assimilait, digérait et moulait les êtres pour ne déféquer enfin, selon ses humeurs, que de grosses diarrhées ou de raides étrons ambulants : les prisonniers étrangers de Mahachaï.

Clan par clan, en fonction des nationalités, des compatibilités historiques, des contingences politiques, des positions géographiques, chaque nationalité reproduisait dans sa chambre son pays, petit ou gros, avec ses habitudes, ses affections, ses répulsions et son économie. Tout ça formait un fac-similé d'univers stérilisé et cloisonné. Une figuration de ce que serait l'humanité après la Bombe. A Mahachaï, pour les étrangers, la radioactivité c'était la bestialité répugnante des Thaïs.

Véritable univers de science-fiction (d'ailleurs c'était les seuls livres qui circulaient), la chambre des farangs vivait dans la schizophrénie collective — avec la notion de collectivité en moins. Après quelques jours de ce régime, désabusé, j'éprouvais une telle nostalgie que j'ai fait une requête auprès du vice-commandant pour être dirigé vers un building thaï. Mais Mr. No a dit : no! J'ai dû rester avec ceux de ma race.

Trivialité des jours qui ne font que se suivre : désormais, la routine, cette technique soporifique de défense qu'en prison on ne peut éviter, s'est emparée de moi et je me suis laissé porter par elle. Malgré ma réticence, j'ai fini comme tout le monde, sans même en avoir pleinement conscience, par m'aménager une petite vie « décente » au building n° 4. Je traînais les journées qui s'agglutinaient derrière moi comme des mouches sur du papier miel.

Ma vie avait le goût d'un chewing-gum trop mâché qu'on garde quand même dans la bouche pour s'occuper, pour se donner l'impression qu'il a encore de la saveur.

Mon éparpillement des premiers mois avait fait place à l'unité de l'attente ; j'attendais mon jugement. L'extérieur, avec ses obligations, ses nécessités, me semblait loin. Loin derrière moi, un monde futile qui ne me faisait pas envie.

Le temps qui ne passait pas donnait paradoxalement aux événements, comme par compensation, une plus grande permanence, plus de consistance aux êtres, un peu d'immortalité. En prison, j'avais acquis la liberté de ne pas être concerné par les contraintes morales, les responsabilités qu'ont les autres vivants, puisque j'étais déjà responsable, coupable et presque condamné... J'avais perdu tout dépit, tout espoir nuisible, toute appréhension. J'étais bien là, défiguré, dans le corridor de mon cas pénal, comme dans ces rêves symboliques où l'on marche dans un long couloir aveugle dont on ne voit ni ne désire la fin, d'où l'on ne veut pas sortir.

De même que pour les autres prévenus depuis longtemps emprisonnés, seul importait pour moi l'immédiat. Le futur s'occultait de lui-même, trop aléatoire pour être pris en compte.

Dans cette quatrième dimension, la dimension carcérale, celle où le temps est un énorme bloc qu'on s'épuise en vain à pousser et à repousser, n'existait que ce qui interférait directement dans le quotidien ; ainsi l' « aventure » de ce Portugais paraplégique qui agonisait à l'hôpital sans que nous le sachions.

Les Portugais, n'ayant pas à Bangkok de représentation diplomatique, n'étaient pas tout à fait considérés comme des Blancs et ne bénéficiaient donc pas de notre relative sécurité. Ce Portugais d'une trentaine d'années sur sa chaise roulante, et sa copine espagnole avaient été pris à l'hôtel avec deux kilos de poudre dans leurs bagages. A la police-station, en plus de son état « encombrant » pour les flics, toxicomane jusqu'à la moelle de ce qui lui restait d'os, lors du sevrage, il avait sombré dans un coma dont les massages cardiaques ne le sortaient pas. Inquiets, afin de se débarrasser de ce « colis piégé », les flics, perspicaces, l'avaient expédié subito à l'hôpital de Mahachaï où il ne serait pas mieux soigné mais où sa mort s'expliquerait mieux, aurait l'air plus naturelle que dans une police-station. Toujours inconscient, sur le plancher de l'hôpital (il y a des lits mais ils sont purement décoratifs, ne servent que lors des inspections d'hygiène), au milieu des cafards et des punaises, recroquevillé, crispé sur le néant, le corps difforme que les infirmiers retournaient du pied chaque matin, pour voir s'il avait survécu à la nuit, restait inerte.

Junkie invétéré aux veines durcies, réduit à

111

planter son aiguille dans ses muscles, les bras et les cuisses du Portugais paraplégique — qui mourait de sevrage — étaient couverts d'un amas de bleus et d'abcès causés par les fix passés.

Un dimanche, le corps est sorti de sa rigidité pour une seule et ultime convulsion : mort.

Au building 4, nous ne savions rien. Jusqu'au matin où un Thaï nous a révélé le fait. Il s'est passé alors quelque chose de fantastique. J'ai senti un frisson qui circulait dans la pièce. Une décharge électrique qui a réveillé toutes les petites humanités confinées jusque-là dans leur médiocrité : notre espèce était en danger !

Il y a eu de l'émotion, de l'angoisse, une vague de colère unanime qui nous a soudés. Dans le même élan, j'étais réconcilié avec les miens. Sur-le-champ, nous avons constitué une délégation qui allait protester chez le commandant pendant que les autres se précipitaient à l'hôpital. Mais bien sûr il était trop tard et chacun, intimement, le savait. La dépouille du Portugais avait été emmenée la veille. Notre geste inutile, pour ce qui n'était, somme toute, qu'une « overdose », confirmait et confortait notre sens de la solidarité... Après cette mort vite oubliée et la sortie presque lyrique qu'elle avait suscitée, les choses sont revenues à ce qu'elles étaient. La tête un peu plus basse, nous sommes tous retournés hiberner dans notre grotte, loin en dessous des contrariétés de l'existence, là où il fait moins lourd pendant la mousson.

La plupart des étrangers, en plus de la bouffe, quand ils le pouvaient, s'adonnaient à la poudre. Sans excès pourtant, juste deux petits fix par jour.

La dope, outre le réconfort qu'elle apportait, nous servait de faire-valoir, elle nous conférait un minimum de personnalité en nous différenciant de ceux qui n'en prenaient pas...

Pour ma part, je gardais toujours la certitude d'abandonner la poudre dès que l'occasion s'en présenterait. Dans les moments où j'étais hanté par les quinze ans de prison que la DEA avait réclamés pour moi, l'idée d'une overdose fatale faisait son petit chemin pathétique le long de mes neurones, conjurant le sort. En attendant cette échéance, j'évitais de trop y toucher. Juste assez pour ne pas être malade. Je me promettais de ne jamais retomber dans la dépendance alors que je savais pertinemment être déjà en état de dépendance. Quand cette pirouette mentale ne me satisfaisait pas tout à fait, j'en appelais, en dernier recours, à la dialectique qu'utilisent tous les dopés, l'embrouillamini... « Si tu étais vraiment accro, tu ne te poserais même pas la question de savoir si t'es accro, et tu viens de te la poser n'est-ce pas ? Alors, accro ou pas accro... »

Un peu embarrassé par la complexité de ces questions auxquelles je devais réfléchir à tête reposée, je me faisais un fix. Le fix du matin, un tout petit fix et j'accomplissais ma promenade anti-sclérose. Je passais à la shooting-gallery pour me tenir au courant des événements, je longeais les cuisines pour ne pas perdre l'odorat et compter le nombre des « éclaireurs » que Rocking-Chair avait lancés à mes trousses... C'était derrière les cuisines que se trouvait ce que les Thaïs appelaient la « sex shop » : la porcherie de Mahachaï. Car j'avais découvert que certains gardes élevaient des porcs !

On y trouvait Marilyn Monroe, la truie la plus jeune, Gina Lollobrigida, la truie qui avait les plus grosses mamelles, et un gros mâle retors qui avait le même patronyme que le vice-commandant et recevait des coups de pied.

Les Thaïs attachaient un chiffon imbibé de trichloréthylène autour du groin de Marilyn pour la stoner. Quand elle était bien chauffée, hilares, pour un paquet de cigarettes la passe, pas dégoûtés, ils baissaient leur froc et se donnaient du plaisir en d'épiques parties de cul avec Marilyn Monroe.

Je terminais en passant devant l'hôpital... Enfin je rentrais au building pour me ronger les ongles jusqu'à la fin de la journée.

Presque un an s'est écoulé depuis mon arrestation. La mousson est passée, l'hiver thaïlandais a la douceur maternelle des printemps de chez nous, là-bas, derrière les jungles immenses de l'Asie, encore plus loin, derrière l'Hymalaya, à l'autre bout du monde, là où j'ai grandi, trop loin pour bien m'en souvenir. Mélancolies. Insomnies.

J'étais livré aux pires pressentiments, et les visites de Visvassam m'accablaient davantage. Cinq ans ? Dix ans ? Vingt ans ? Aux enchères ! Il fallait de l'argent.

Le jugement était toujours reporté et je commençais à désirer ce que je redoutais tant jusqu'à maintenant : le verdict. Ma libération sous caution était impossible. Kulachat me la refusait, il l'avait même stipulé au bas de son rapport de police. Je jalousais chaque soir les cautionnés qui avaient pu acheter leur liberté et qui s'en allaient. A dix heures pile, on entendait tinter les clés, monter les escaliers par saccades, manœuvrer la serrure. Ceux qui sortaient avaient la mine extasiée des illuminés : la bénédiction des clés ! Torture pour les autres, ceux qui restaient, qui étaient restés des mois, qui resteraient des années. Avec un regard blasé, presque méprisant, ils levaient la tête pour respirer l'air de la liberté, mais c'était celle d'un autre. Alors, ils avaient un regard morne, versaient une larme qu'on ne voyait pas, qui coulait en dedans d'eux-mêmes, et retournaient à leur absence.

— *Good bye !*
— *Good bye.*

Ce rituel allait pourtant avoir une fin.

En effet, les Américains ont ouvert l'offensive contre les cautions trop faciles, en même temps que la DEA à coups de millions de dollars galvanisait la répression de l'héroïne. Dans ce qui devenait une chasse aux sorcières, la police thaï, par son instinct héréditaire du profit, arrêtait tout ce qui touchait plus ou moins à l'héro, c'est-à-dire n'importe qui. Ils auraient bien arrêté toute la population thaï si on les avait laissé faire, du moins celle qui n'était pas assez protégée. Le résultat immédiat fut que des milliers d'inculpés se déversèrent à Mahachaï, sans pouvoir obtenir de « *bails*[1] ». Le deuxième résultat fut qu'entassés par centaines dans les cellules, les prévenus thaïs

1. *Bail :* caution.

crevaient beaucoup et chaque matin, un camion faisait le circuit des buildings pour ramasser les corps d' « overdosés »... jusqu'à ce que l'administration, ne pouvant indéfiniment défier les règles de la géométrie dans l'espace, décide de nous transférer au centre médical de réhabilitation de Bumbud Prisaï. Une prison comme les autres sinon peut-être à l'aspect moins désuet, à l'atmosphère moins épaisse. Par exemple, la sordide cheminée de la vieille cuisine manquait, comme tout ce qui faisait l'envoûtement et l'archaïsme de Mahachaï. Les buildings ici avaient des airs de traquenards derrière leurs murs fraîchement crépis de gris, le Fleury-Mérogis thaïlandais. A Bumbud, rien que des bâtiments et leurs cellules.

Le terme « médical » voulait sûrement dire qu'on y mourait moins — corporellement s'entend — qu'à Mahachaï, que cette prison moderne était strictement réservés aux *drug cases*. Presque une faveur !

Dehors, les flics, trop occupés par la chasse aux toxicomanes de tous poils, laissaient faire les casseurs, braqueurs, tueurs, etc., ceux qui auraient dû peupler Mahachaï. Si bien que la vieille prison restait maintenant pratiquement vide.

Une semaine après le transfert massif qui avait vidé Mahachaï, on retransférait, cette fois de Bumbud vers Mahachaï, tous les cas d'opium, morphine ou herbe. Seuls, les héroïnomanes demeurèrent à Bumbud.

Je passerai six mois dans le spleen de Bumbud jusqu'à ma condamnation : un an et demi après mon arrestation.

Quelques jours avant d'aller au tribunal, mon frère, qui est revenu à Bangkok pour mon jugement, m'a rendu visite. Optimiste, il m'apprend qu'il est parvenu à réunir six mille dollars, qu'il a récoltés auprès des parents, des amis, de la famille, et qu'il les a versés au juge. Celui-ci m'innocentera... si le procureur toutefois accepte de ne pas faire appel... Mais ce sera peut-être difficile... Car j'ai été arrêté par les « stups » américains qui devraient assister au procès. Toujours des « car », des « mais », des « si »... Bla, bla, bla.

J'avais peu d'espoir mais c'est relativement confiant que j'allai, un matin de mars, au tribunal. Au moins, le juge ne sera pas contre moi !

La cour. Triste balade. Bangkok à travers les grillages du camion a un aspect factice, théâtral. Entassé avec une centaine d'autres dans un panier à salade, je me laisse porter par les souvenirs... J'imagine les nouveaux, là-bas, qui, comme moi la première fois, écouteront le vrombissement de notre camion quand il manœuvrera. Silence. Les grilles qui s'ouvriront malaisément et le cri de toutes les chaînes qui s'entrechoqueront. Je me souvenais... Laure que deux matones emmenaient... Laure qui avait été libérée six semaines plus tard... je ne l'avais pas vue depuis si longtemps !

Ça y est, nous y sommes !

« *Nung, song, sam,...* »

Et puis, aussitôt, c'est l'appréhension, l'angoisse, la peur d'avoir peur. Bientôt la conclusion du doute, des incertitudes que semaient les incertitudes ; je vais savoir.

Série de photos qui se confondent, mélangeant le passé ou le présent ; je suis dans cette même pièce où j'ai vu, parqués, un an et demi auparavant, les futurs condamnés. Je suis hébété, un peu submergé par les images qui tournent en spirale dans ma mémoire.

Un maton vient d'ouvrir la grille. Une heure que je suis là, accroupi sur hier pour échapper à tout à l'heure. Il me fait un signe :

— Farang !

Je suis le seul Blanc, je sors, mes vingt-cinq kilos de ferraille aux pieds. Le maton, prenant mon bras, me dirige vers la pièce où j'ai rencontré Visvassam pour la première fois. Je me souviens encore de sa tronche réjouie, dégoulinante de contentement. Mais aujourd'hui, Visvassam n'est pas là. Ici, m'attendent mes deux flics américains. Un peu plus bronzés, toujours la trentaine sportive, beaux comme à la télé. Quelconques.

Un laconique : « *How are you ? — Fine.* » Un atone : « *Look man we can help you, but you have to help us !* » Clair, précis.

Ces professionnels de l'Asie, le jour de mon arrestation, ne m'avaient même pas posé une question sur la provenance de la dope. Ils n'avaient pas insisté face à mon mutisme, et j'avais été surpris par ce que je croyais être une négligence de leur part. Maintenant, je réalisais à quel point ils savaient ce qu'ils faisaient. Ils m'avaient laissé macérer tout ce temps en prison pour m'imprégner de son esprit où l'immoralité est la règle de survie, où devenir un salaud est une

118

nécessité absolue. Sûrs de leur coup, persuadés que je n'étais plus le même, ils demandaient maintenant une collaboration à ce deuxième personnage qui s'était développé en moi.

Je m'en souviens, j'ai hésité... De toute manière, même si je leur avais raconté la vérité — le borsalino de Daniel, notre film, le rire de Laure, l'HLM de ma mère... — ils auraient pensé que je me moquais d'eux puisqu'ils avaient la conviction que j'étais une bonne prise... Je n'imagine pas aujourd'hui comment j'ai pu hésiter... Finalement ils m'ont laissé tomber.

Toujours aussi maîtres d'eux-mêmes, bien éduqués, compréhensifs même, ils se sont levés. L'un d'eux m'a dit :

— Quand tu sortiras d'ici, tu auras vieilli...

Ils sont partis en me laissant bouffer mes cendres.

Ils n'étaient pas présents à l'audience où on ne m'a même pas posé une question.

Incognito, un petit bonhomme grisonnant dans un costume gris, derrière des lunettes brunes, a sorti une enveloppe blanche de son bureau, en a tiré une fiche. Je me suis levé. Il a lu la sentence-surprise sur son bout de papier, levé les sourcils :

— *Sam pi !*

Incognito, c'était le juge. *Sam pi*, ça voulait dire trois ans.

Tout le monde avait l'air satisfait, moi aussi : tout d'un coup, j'avais déjà fait la moitié de ma peine. Soulagé, libéré du doute et de la peur, j'ai même souri, je crois. Mon frère, qui, depuis un an et demi avait fait plusieurs fois l'aller et retour entre Paris et Bangkok pour tenter de me faire sortir, était triste. Il y avait cru, pas moi.

Une semaine plus tard, j'arrivai à Lardyao, la centrale sur laquelle les histoires les plus extravagantes circulaient : le temple de la dope ! En effet, si à Mahachaï, le trafic était, somme toute, artisanal, ici il se révélera industriel... J'allais découvrir une mine souterraine où les taulards traînaient leur vie comme on traîne un wagonnet.

Lardyao, au premier regard, est un vaste champ de quatre ou cinq kilomètres carrés, presque bucolique avec une végétation ensoleillée de domaine colonial... Sauf que le mur est là, rigide, pour contenir les imaginations. Un mur double électrifié, avec une tourelle tous les cent mètres, cache un vaste fossé extérieur nauséabond. Un monde oublié derrière ses fortifications. Anti-monde tragi-comique où les envahisseurs viendraient de l'intérieur. Chaque tourelle est habitée vingt-quatre heures sur vingt-quatre par une sentinelle imbibée de mékong[1]. Il arrive parfois qu'un prisonnier, s'approchant trop près de l'enceinte, rencontre l'éternité.

Lardyao est divisé en « *dans*[2] ». Chaque section a une tâche bien définie : produire.

La n° 3, attachée à la cuisine, fournit les cuistots.

La n° 6, attachée à la menuiserie, fabrique du mobilier.

1. *Mékong :* whisky thaïlandais.
2. *Dan :* section de deux mille détenus.

120

La n° 2 est une section de transition pour polyvalents : mécanos, cuistots de réserve, jardiniers, etc. Néanmoins, pour ne pas perdre leur temps à attendre leur mutation définitive, les locataires y cousent des sacs de voyage en cuir, des ballons de foot... Tous ces dans sont délimités par une palissade qui les isole les uns des autres.

Le building 5, lui, procure l'héroïne. Pièce maîtresse de la vaste infrastructure qu'est Lardyao, le building 6 est aussi appelé « Chiang Maï » : c'est l'entrepôt d'héroïne de la prison. Elle est stockée là, il y en a des kilos. Le n° 5 est supposé être le bâtiment des terrifiants darkrooms. En vérité, c'est un « hôtel » où sont logés les kaï-haïs : cellules individuelles, radios, cuisiniers, bonne bouffe, boys... le confort ! La Kommandantur est d'ailleurs à deux pas. Quand on connaît la Thaïlande, on a tout de suite compris.

Chaque dan étant indépendant et, en principe, fermé sur lui-même, la distribution officieuse de la dope se fait à l'hôpital, sous l'égide de la Santé. Endroit interlope, tout s'achète et se vend à l'hôpital. Les Thaïs l'appellent d'ailleurs « Heroin Shop » par ironie envers le « Coffee Shop » où rien ne s'achète ni ne se vend.

La nature, qui foisonne entre les dans, est soumise aussi à la production. Lardyao est une immense exploitation agricole. Les prisonniers-jardiniers, avec cette langueur qu'ont les Siamois, inlassablement bêchent, arrosent, arrachent les mauvaises herbes, entretiennent de véritables champs de salades, de navets, de carottes, de tomates... Il existe aussi des vergers où mûrissent les mangues, les rambutans, qui sont vendus aux prisonniers au double des cours.

Plusieurs fois par an, les camions bariolés des commerçants chinois viennent s'approvisionner en légumes qu'ils écoulent sur la place de Bangkok. Sur ce négoce, les officiers de Lardyao touchent un droit de fermage. En plus de ces « annexes de solde », chacun a son vivier personnel : une mare à poissons où il élève le brochet. Régulièrement, suivant la demande de l'hôtel avec lequel il travaille, ses prisonniers y plongent leurs filets. Le vice-commandant, lui, possède deux ou trois cents oies. Je n'ai jamais pu savoir à qui appartenaient les trois vaches.

Lardyao, éden visible, enfer invisible. Chaque section, chaque cellule, chaque prisonnier, sont autant d'éléments d'une complexe horlogerie s'enclenchant avec souplesse les uns dans les autres. Mécanisme clandestin d'une horloge géante dont les aiguilles ne bougeraient pas, seraient arrêtées, désignant de leurs flèches un seul point, la Kommandantur, siège de l'éternité où doit aboutir l'essentiel : le fric !

Des fruits, des légumes, des ballons de football, des poissons, des oies, des vaches donc, mais aussi le cheptel humain. Chaque vendredi se déroule dans les sections une triste comédie, mise en scène par le chef du building : les ouvriers taulards reçoivent les deux baths par jour constituant leur salaire.

Quatorze heures : la paie !

Le cul voluptueusement enfoncé dans un fauteuil de skaï, démiurge impassible, inamovible : le building-chief. A sa droite, son bouddha doré.

Par une bizarre constante psychologique, j'ai remarqué que plus le building-chief est chétif, plus son bouddha est gros... A gauche se tient son adjoint, gourdin à la main, dissuasif. A deux mètres en bas de l'estrade, une petite table à laquelle est assis le maton-comptable, un énorme registre déployé devant lui.

Attendent, accroupis, cellule par cellule, dans une soumission des plus affectées, la file interminable des salariés. Le show est prêt. L'adjoint jette un dernier regard.

Moteur !

Sans qu'on ait à lui expliquer son rôle, le prisonnier de tête, au ras de la table, débite un discours monocorde, toujours le même, à peu près celui-ci : « Je n'ai pas besoin d'argent. L'administration m'a fourni tout ce dont j'ai besoin. Je ne veux pas abuser. Je fais don de mon salaire à la prison. » On lui fait signer le registre. Il s'en va, toujours à croupetons, réglementairement. Les mains jointes à la façon des bonzes, resplendissant de bonheur, il remercie Bouddha doré et son incarnation Building-Chief. « *Kop kum ma kap ! Kop kum ma !*[1] »

Gare à celui qui n'a pas rempli son quota ! L'improductif sort du rang, et, contrit, va se garer dans le coin des punis. Car après la paie, vient le clou du spectacle, et il en sera le principal acteur. En effet, vers trois heures, la paie terminée, les improductifs s'alignent devant l'adjoint qui leur distribue, selon son humeur du moment, quelques

1. Merci beaucoup, monsieur, merci beaucoup.

coups de gourdin. Pas méchants, non, c'est seulement justice...

Le building-chief assiste, impassible, peut-être un peu mélancolique, en lévitation au-dessus de ces fastidieuses obligations de violence qui n'ont plus pour lui de poésie. Au bout de trente ou quarante ans de service pendant lesquels il a acquis ses barrettes à la force du poignet — matraque en main... — les coups font un bruit qui le dérange, qui réveille en lui la névrose du galon. Il aurait aimé atteindre l'échelon au-dessus : vice-commandant dans un bureau à air conditionné. Presque l'immortalité... Mais il ne convoite plus rien. Il a acquis la faculté, quand il se concentre assez, de s'asseoir deux barrettes plus haut, dans le fauteuil du commandant. Pour le reste, son building et les captifs qui grouillent dedans, ça le dégoûte un peu. Des hannetons dans une boîte à chaussures.

A chaque coup de gourdin, la population s'exclame, applaudit. On s'amuse comme le dimanche au Grand Guignol. Mais c'est déjà terminé. Le dernier supplicié, le dos strié, va s'aplatir aux pieds de l'adjoint, front contre terre, tout en saluant Bouddha-Building-Chief dans une ferveur hallucinée.

Coupez !

A Lardyao, la donation est légale, elle fait partie du règlement. Il ne faut pourtant pas se leurrer sur la destination de la paie : les matons de Lardyao, je veux dire ceux qui se respectent, ont tous, sinon une voiture, au moins une moto. Les officiers, eux, ont souvent deux voitures...

A mon arrivée, je suis décontenance par l'agitation qui règne au building 2 où je dois passer une semaine en observation. Que veut donc dire « observation » ?

Lardyao est oppressant par son gigantisme normalisé. A Mahachaï et à Bumbud, j'avais fini par m'adapter à l'étroitesse et au surpeuplement, que je prenais pour de la société. L'espace, dans ma nouvelle prison, démesuré, accentue mon sentiment de solitude et de perdition, ce vide intense que ressentent les prisonniers fraîchement condamnés. Après l'euphorie du bon score — les trois ans —, mon sentiment d'abandon s'accroissait ici où j'étais à la fois nouveau, étranger et nouveau condamné. Pendant un an et demi je m'étais accroché à l'espoir du miracle qui me ferait sortir. Même le sachant puéril, il me servait à colmater le trou que les jours creusaient en moi. Aujourd'hui, c'est la brèche, je bée de partout, j'échoue... Il ne me reste plus qu'à compter et je compte obstinément. Un, deux, trois, quatre, cinq, six, sept. 7 jours sont passés dans la cellule 17 — toujours des 7, putains de 7 ! Cellule 17, une pièce du premier étage, toute en longueur de quatre mètres sur deux, sombre sous un plafond bas. Une tombe à l'éclairage sinistre, coincée au milieu d'une centaine d'autres alignées, dont les locataires sont trois ou quatre. Moi je suis seul et je ne sais pas si cet isolement est une faveur ou une punition.

Ce n'est pas une faveur... Un soupçon se précise à mesure que je m'imprègne de l'atmosphère ambiante, que j'observe la machine, la machination du building 2 : un jeu de contre-jours où tout est truqué, où les ombres se mêlent pour n'en composer qu'une seule qui glisse, se distord, s'étire, rebondit et moule les détenus, les enserre dans sa gangue élastique, presse sur leurs membres, leur tête, leur ventre, leur fait accomplir les gestes qu'il faut, les gestes qui servent, qui produisent, dénoncent, subissent. Mon confinement est une faveur empoisonnée, un poste d'observation où l'on m'a remisé afin que je puisse mieux voir et redouter. A la fois intimidation et conditionnement, à leur stade le plus sournois : l'hypnose.

Mon stage au building 2 m'a initié à la pratique du double sens : pour être compris, tout doit être interprété, réajusté à ma propre logique. En fin de compte, ça m'avait occupé en me fournissant matière à cogiter plutôt qu'à me lamenter, monomaniaque, sur les secondes et les jours. Je connaissais maintenant la règle du jeu.

Enfin, on me dirige vers le building 4, le sanctuaire des Blancs, une réserve pour espèce en voie d'extinction...

Un garde jovial — il semble content de sa balade —, son vélo à la main, m'accompagne à travers les sentiers du domaine où il me faudrait une carte et une boussole pour me retrouver. Au fur et à mesure que nous avançons, à chaque bâtiment qui apparaît, je demande à mon guide : « *Is it building 4 ?* »

Dents blanches, irradiant l'indulgence qu'ont les Asiatiques pour notre ignorance, il répond, en posant quatre doigts sur son épaule, figurant des étoiles : « *No, this, building-commander.* »

Nous passons devant la Kommandantur, un pavillon moderne faisant rond-point à l'intersection de quatre chemins goudronnés. Un prisonnier en short et maillot jaune — uniforme du building 3 —, arrose les plantes qui entourent la bâtisse avec des gestes empressés, furtifs, comme si l'endroit était malveillant, qu'il ne devait pas y traîner. J'essaie de voir, à l'intérieur de la bâtisse quand nous la contournons, les gueules des maîtres. Mais les bureaux sont vides. J'entends une machine à écrire qui crépite et s'arrête. Silence. Nous continuons. Le building 5 est en retrait, à une cinquantaine de mètres sur la gauche. Encore plus loin à gauche : l'hôpital. Un grand complexe tout neuf habillé de luxe. Nous l'évitons pour tourner à droite devant la double porte blindée donnant accès à l'extérieur. Nous longeons le mur et ses tourelles où des canons de fusils dépassent sans qu'on en voie les servants.

Une porte. Un maton dans sa guérite. Je salue en me cassant en deux. La porte coulisse. Nous arrivons au garage avec ses carcasses tristes et ses coups de marteaux qui résonnent. Un mécano trifouille dans le moteur d'une Mercedes flambant neuve. Celle du vice-commandant ? Deux motos Honda avec leurs chromes semblent attendre Noël pour être emballées.

Voilà, derrière un grillage, la section 4, je le devine. Le maton me le confirme : « *Dan si !* », et il remet sur sa tête la casquette qu'il gardait à la main.

Un grand terrain vaguement herbeux à l'angle

du mur d'enceinte. Un terrain à lui seul aussi vaste que l'était Mahachaï, avec, sur ses côtés, deux bâtiments identiques qui se regardent. Deux parallélépipèdes rectangles, formés d'une suite de cages, montées sur des échasses en béton. Entre elles, un vide, une sorte de préau d'école secondaire, où vient se coincer une autre cage. Quand nous approchons, je vois cinq ou six types allongés sous le bâtiment de droite. Ils ne me remarquent pas. Ce spectacle me dérange, ça pue la fatalité, le vide et l'ennui.

Le maton me désigne d'un mouvement de tête le bâtiment de gauche, plus délabré, accroupi sur un amoncellement de briques, de poutres et d'autres matériaux de construction, donnant à la bâtisse un aspect d'entrepôt de travaux publics. C'est là qu'il faut aller.

Deux gardes en maillot de corps sont dans la cage qui sert de bureau. Celui qui est assis à la table referme à notre arrivée le livre qu'il potassait. Avec ses lunettes Ray Ban sur sa figure maigre, il ressemble à un étudiant fourvoyé ici après avoir raté trois fois ses examens. Il est jeune, l'autre aussi, peut-être un peu moins : vingt-sept ans ? D'ailleurs une étoile décore la chemise qui pend au dossier de sa chaise. En même temps que le maton qui m'accompagne les salue militairement d'un geste sec, je me courbe, essayant de me composer une expression soumise, ce qui fait sourire l'étudiant.

Tout ça semble plutôt rassurant.

Il prend l'ordre du maton-convoyeur que lui tend l'autre maton, y jette machinalement un coup d'œil et renvoie le premier à son building 2

avant de me poser, ponctuellement, les questions consacrées :
— Quelle est ta condamnation ?
— Trois ans.
— Héroïne ?
— Oui.
— Tu prends de l'héroïne ? fait-il en mimant des doigts une injection.
— Non ! je fais, d'un air digne.
— Bien ! répond-il.
Puis il me donne mon affectation : « cellule 6. »
— Si tu veux prendre une douche, vas-y maintenant.

Je suis un peu désemparé : tout ici a l'air relâché. Depuis un an et demi j'avais tellement été dirigé, encadré, que l'impression de vide que je trimbale depuis ma condamnation devient tout à coup une impression d'indépendance, presque de liberté. Je rejoins mon nouveau bâtiment en croyant avoir trouvé aujourd'hui un morceau de futur. Il y a même deux énormes bananiers avec leur casque de feuilles lisses qui me présentent les armes... Trop absorbé, tout à l'heure, par mes mornes appréhensions, je ne les avais pas remarqués : je me dis que la première impression n'est jamais la bonne et je suis aussitôt soulagé, réjoui.

Un des allongés du préau s'est levé et se précipite vers moi, toutes jambes arquées, projetant les éclats d'un accent désastreux qui résonnent contre les murs : « Bienvenue au cirque ! » On se serre la main comme deux frères et j'en suis presque ému. Ça faisait longtemps que je n'avais pas reçu pareil accueil.

Je viens de rencontrer le premier des farangs de

Lardyao en la personne du « tchéco ». Je découvrirai rapidement qu'il y a deux « tchéco » ici. Deux Tchécoslovaques — ainsi que leur surnom l'indique — émigrés aux Etats-Unis dont ils parlent à peine la langue. Pour différencier le couple, car il s'agit d'un véritable couple, on appelle le premier « le gros tchéco » et l'autre « le petit tchéco ». Celui qui vient de m'accueillir est le gros tchéco, une concierge sublime, le roi du ragot, qui affectionne particulièrement de raconter sa vie et ses exploits de matamore, d'ailleurs tous pratiquement faux. Le visage bronzé, avec un nez aplati par les coups reçus du temps qu'il était boxeur — prétend-il —, il pète de santé.

Quand le matin, on fait sa rencontre et qu'il vous accoste en roulant des yeux et des r comme une chanteuse d'opéra, il faut fuir tout de suite, ou alors il ne vous lâche plus jusqu'à ce qu'il ait terminé son déferlement, son bombardement de mots atrophiés. Ou bien, dans les cas extrêmes, quand on sent qu'on n'y survivra pas, il faut « lui coller une mandale » comme me le conseillera Maurice, un loubard parisien reclassé dans la « drepou[1] ».

Mais aujourd'hui, j'arrive et personne ne m'a encore prévenu de la trop loquace chaleur de mon nouvel ami. Je ne sais pas encore que je suis sa proie verbale et d'ailleurs je m'en fous. Il m'amuse ce mec, avec ses yeux en boule de loto qui, régulièrement, se plissent de contentement, et je me laisse engluer dans sa toile d'araignée

1. *Drepou* : en verlan, poudre.

130

sonore quand il me fait diligemment visiter les lieux :

— *HeRRe, the staiRRRs, foRRR RRRRoom !*

— *HeRRRe, bathRRRoom foRRR showeRRR !*, en me désignant du doigt une espèce d'abreuvoir rempli d'eau.

— *You have bowl foRRR showeRRR ?*

— *No, I don't have.*

— *I give you !*

... Et le RRReste de la jouRRRnée, je l'ai passé entRRRe l'assommoiRRR des RRRR et la rencontre avec cette collection de trognes que sont les autres étrangers de Lardyao, mes futurs comparses dans ce voyage, cette aventure misérable et fabuleuse, à travers le temps qui allait suivre.

En fait, cette aventure avait commencé un an auparavant : au commencement... au début de tout... quand l'ambassade US créa la section 4.

Nous traversions la période « Carter » de la mauvaise conscience yankee, celle où, après la guerre du Vietnam, la mère Amérique cherchait à récupérer ses boys perdus aux quatre coins du globe. C'était dans cette perspective que les Etats-Unis avaient engagé des pourparlers avec la Thaïlande en vue de pouvoir échanger ses prisonniers. Inquiète à l'idée de rapatrier ses sujets camés jusqu'aux sourcils, l'ambassade US avait fait réfectionner à ses frais un des deux bâtiments isolés voisins du garage. Moyennant quoi elle y aurait un droit de regard.

En éloignant ses ressortissants des dures réalités des bâtiments thaïs où ils se trouvaient disséminés, l'ambassade US voulait leur éviter un contact trop facile avec l'héroïne. Pour le choc de la transition entre le trop de poudre des sections thaïs et le pas de dope du futur building 4, et afin d'amortir une décroche brutale qui pourrait être dangereuse — les mecs étaient tellement intoxiqués qu'ils risquaient de crever lors du sevrage —, les Américains avaient en outre financé un salvateur programme de méthadone d'un mois pour tous les prisonniers non thaïs. Pas par générosité, mais parce que, décemment, elle ne pouvait pas laisser tomber les autres étrangers desquels leurs garçons étaient solidaires. Question de méthode...

D'autre part, les matons affectés à cette section étaient, après enquête de moralité, soigneusement sélectionnés selon des critères rigoureux : en général des provinciaux pas encore contaminés par le fric, puritains si possible, un peu naïfs donc intègres, issus de la petite bourgeoisie, souvent fils de commerçants honorables, parlant anglais et devenus gardes pour payer leurs études.

Le building-chief Vichit, lui, capitaine sorti du rang, avait un passé brillant d'incorruptible à la poigne de fer.

Conception immaculée, tout était parfaitement agencé pour qu'il n'y ait pas de dope dans la section étrangère.

Cela a duré comme ça, tant bien que mal, un certain temps. A mon arrivée au 4, un an après son « invention », il y avait quand même de la poudre, mais peu, et elle coûtait cher. Le système de défense US fonctionnait bien et seuls les plus riches et les plus intoxiqués de la section se payaient le luxe, en semaine, d'appâter au prix fort les dealers thaïs terrorisés, car vendre à un étranger était impitoyablement puni. Pour les autres, il fallait attendre le dimanche, quand les « bons matons » étaient remplacés par les matons d'autres sections qui, eux, dealaient.

Chaque fois qu'un Thaï pénétrait au 4, il était systématiquement fouillé : oreilles, bouche, entre les doigts de pieds, et, finalement, doigt dans le cul, perpétré par une « tunique bleue ». Les tuniques bleues, des prisonniers collabos en short et chemise bleus, presque un uniforme, étaient à la fois écuyers, cire-godasses, confidents, hommes de main officiels, et surtout chiens de garde des gardes. Redoutables d'efficacité, passionnellement, par dépit d'avoir perdu l'autorité de l'uniforme — car ils étaient en général des flics ou d'anciens sous-off de l'armée —, avec la rogne que peuvent avoir ces gens-là quand on les déculotte, ils s'appliquaient, telle une police parallèle, à concurrencer les gardes dans leur service, parfois même à les contrôler. Contrairement aux matons, ils ne semblaient avoir d'autre instance que le devoir et nous les craignions comme la peste.

Chaque fois qu'un étranger allait à l'hôpital où on lui donnait invariablement des antibiotiques déclassés ou périmés et de l'aspirine, il était escorté par un garde nonchalant et une tunique bleue suspicieuse, la gueule prête à baver, qui ne le quittait pas d'une semelle.

Malgré cette constante surveillance, nous organisions des opérations « Banzaï ». Singh était notre as de pique. Personnage fabuleux, à la fois Christ noir et démon pathétique, Malaisien sikh avec un nez crochu, une moustache et des cheveux trop longs, des yeux où ne paraissait que la candeur, il prélevait 10 % sur le butin. En possession du cash disponible réuni dans la section, Singh, vers une heure, pendant que les matons bouffaient, s' « évadait », passait les portes interdites. Il parlait parfaitement le siamois, connaissait tous les matons par leur prénom, toutes leurs faiblesses, savait les flatter, les faire rire, leur taper dans le dos, inventer les explications les plus extravagantes pour justifier sa présence. Sept ans qu'il était à Lardyao !

Quand un maton qui avait passé cinq heures dans sa guérite à se morfondre voyait sa longue silhouette voûtée apparaître, c'était une bénédiction et il ne pouvait pas s'empêcher de lui faire signe. Singh s'arrêtait, penchait la tête sur le côté, semblait réfléchir, balançait un de ses interminables bras pour se donner de l'élan et glissait jusqu'au maton déjà envoûté. Il dispensait alors un quart d'heure de conversation intime, s'il le fallait il prenait une main du maton, y lisait un futur où il était question d'argent et le maton était en son pouvoir... Magnétisme, séduction, rhétorique, dialectique, tout était bon. Capable de faire croire qu'il était la Sainte Vierge malgré son apparence, toujours pris mais jamais coupable, il avait la malchance d'avoir un physique de suspect et la faculté d'être immanquablement beau et innocent. Bref, je n'exagère pas en écrivant que Singh était machiavélique. Même dans les meilleurs romans, je n'ai jamais rencontré un personnage à la fois aussi intense et aussi inconsistant.

Paradoxe ambulant, toujours sceptique, écorché par une tendresse à laquelle il ne croyait pas,

Singh était le plus grand et le plus vrai des illusionnistes, le plus génial des manipulateurs déguisé en fou mégalo. Si les Thaïs l'appelaient Kaï, ce qui signifie à la fois le grand et le malin, lui accordaient toute confiance et respect, souvent même crédit — alors qu'il n'avait pas un sou —, ce n'était pas sans raison.

Singh revenait une heure après son départ toujours avec de la dope. S'il était fouillé par les tuniques bleues qui le haïssaient, il écartait ses longs bras comme un crucifié, couvrait ses contempteurs de ricanements, subissait l' « outrage du doigt » avec philosophie et remettait son short calmement. Une fois parvenu derrière la section, et après avoir posté quelques veilleurs, à deux, nous prenions sa longue carcasse par les pieds pour le soulever la tête en bas et les baumes [1] tombaient miraculeusement. Seuls quelques Thaïs avec lui étaient aptes à exécuter cette performance qui consistait, par contraction de l'œsophage, à bloquer les baumes empilés tout en étant capable de parler.

Malheureusement, je ne sais comment les matons ont eu la certitude que Singh trafiquait. Et un jour, ils l'ont déporté au building 2.

Au retour d'une opération Banzaï, Singh est escorté par trois matons de la Kommandantur. Un seul monte avec lui dans la cellule pour qu'il y récupère ses affaires, se résumant d'ailleurs à une couverture pouilleuse. Dans son œsophage il doit

1. *Baume :* petite capsule d'héroïne pouvant contenir 1/4 de gramme d'héroïne, ayant contenu auparavant un baume, une pommade.

avoir quatre baumes de poudre. Les quatre types qui ont financé l'opération se sont assis face à la sortie de l'escalier. Le soleil tape comme un forcené. Ils transpirent, on ne sait si c'est à cause de la chaleur ou de la perspective de cette nuit, du manque, surtout de l'idée du manque, bien plus insupportable que le manque lui-même. Peu d'espoir de récupérer la dope. On commence à se demander si Singh, dans toute sa perfidie, ne s'est pas arrangé pour être muté au n° 2, de manière à garder les baumes pour lui... Méfiance paranoïaque des junkies.

Que Singh soit vidé du n° 4 pour aller s'éteindre derrière une porte du building 2, on s'en fout. Ce qui compte, c'est la poudre. Toute la section a le pouls qui bat au même rythme accéléré. Le moment est grave, suffocant. Il y a ceux qui viennent de perdre leurs baumes. Il y a ceux qui espéraient en tirer un fix à crédit. Autant d'espoirs frustrés... Les autres, ceux qui étaient résignés à ne pas shooter faute d'argent, même si l'événement ne change rien à leur situation, malgré eux, ne peuvent s'empêcher d'être pris, imprégnés par la peine, la profonde détresse dont ils se souviennent, dont ils sont encore marqués, dont la mémoire dérange leurs nuits : le manque. Symptôme de la géhenne, de l'adrénaline qui brûle, les pupilles des participants sont énormes, hallucinées. Les visages sont pâles. Les corps suent. Derrière quatre-vingt-trois fronts, dans quatre-vingt-trois têtes, c'est la même obsession. La tension est presque palpable.

Putain, quelle merde ! On commence à se lamenter. Fumier de Singh ! Dix minutes qu'il est monté cet enfoiré ! Il fallait qu'il se fasse buster [1] aujourd'hui ! Qu'est-ce qu'il est en train de foutre là-haut avec le maton ! On murmure, on monologue, en même temps on écoute, mais rien. Rien que des marteaux obstinés qui broient du métal, plus loin, dans le garage. On essuie la sueur qui dégouline du front. Les pieds nerveux battent la mesure sur le ciment du préau. L'un des acheteurs s'est levé et s'en va vers la douche avec sa serviette sur l'épaule, exaspéré. Il revient, on ne sait jamais... peut-être que Singh... Il ne faut surtout pas rater l'occasion, s'il y en a une.

Enfin des pas descendent les escaliers ! C'est le maton. Une fois sur le sol ferme, il s'arrête, fait le tour des visages tourmentés qui se donnent des airs de « j'ai rien fait ! ». Il a compris, il a pris la température, il sait ce que signifie cette tension. Alors, on a des regards d'excuse vis-à-vis de Singh qu'on vient de dénoncer sans le savoir, sans le vouloir. On se disperse. On se sent tout con. Pour redresser la situation, pour tromper les suspicions du garde, on se force à l'amitié. Oui, on attendait Singh pour lui dire au revoir ! « Salut Singh, si tu as besoin de quelque chose au building 2, n'hésite pas à nous le faire savoir. » Ne manquant pas cette occasion, hilare, il demande : « Est-ce que quelqu'un peut me prêter un paquet de cigarettes ? » Il vient de gagner un paquet de cigarettes... Alors le maton le prend par le bras et l'emmène, sa couverture à la main.

Le départ de Singh était le premier signe, l'introduction de ce qui allait suivre. Son isole-

1. **Buster** : en anglais, prendre

ment n'était pas simplement une mesure disciplinaire, il annonçait une ère nouvelle car peu à peu,
comme c'est inévitable en Thaïlande, en six mois,
la situation s'est complètement transformée.

Les matons-étudiants, leur contrat terminé,
l'un après l'autre s'en allaient, remplacés par des
hommes de confiance du building-chief Vichit,
ceux-là mêmes qui, le dimanche, remplaçaient
nos gardes. Ils étaient moins intègres et, par eux,
l'héroïne est apparue en quantité plus sérieuse...
Jusqu'au jour où Vichit a mis lui-même la main
à la pâte, car il n'était pas aussi incorruptible que
l'ambassade US le pensait. Sa « transformation »
fut progressive, planifiée.
Comme les autres sections, nous étions tenus de
travailler. Pas à des travaux réellement productifs
mais nous devions, trois heures par jour, tous les
matins, assurer l'entretien de notre dan. La moitié des étrangers avaient en charge l'intérieur du
bâtiment : balayage, lavage des planchers, etc.
L'autre moitié s'occupait du nettoyage des toilettes et du bac à eau qu'ils vidaient pour en gratter
les mousses qui envahissaient les parois intérieures.
Vichit, un matin, nous a fait convoquer sous le
préau du building. Accroupis réglementairement,
nous attendons le maître. L'hymne national vient
de sonner, il doit être huit heures et quart. C'est la
première fois que Vichit daigne s'adresser à nous
directement. La raison doit être importante. Dans
une prison thaï, le code veut qu'un capitaine ne
s'adresse pas aux prisonniers, c'est tout juste s'il

les voit quand ils s'écrasent sur son passage. Chacun se demande ce qui nous vaut cet honneur.

Huit heures trente, toujours pas de building-chief. Un maton amène une chaise sur laquelle il s'installe, signe que l'attente va être longue.

A neuf heures, ponctuel, apparaît Vichit. Il passe la grille de la section et se dirige aussitôt vers nous. D'un pas décidé, impeccablement mis, il semble sortir de chez le nettoyeur. Il inspire confiance, Vichit. C'est vrai qu'il n'a pas la physionomie enrobée, flasque des autres nababs à étoiles. On dirait Snoopy avec sa tête de chien sympathique. Il est petit comme souvent les Asiatiques, mais ses yeux sont à peine énigmatiques et presque pas bridés. Et puis, il a du style. A Lardyao on dit de lui : « Si on ne savait pas qu'il est Thaï, on pourrait, avec un peu d'indulgence, l'assimiler à un Occidental. » En plus, il parle bien l'anglais avec un accent américain, et avec cette application à prononcer qu'ont les immigrés portoricains aux Etats-Unis... Il est certain que le physique, l'apparence de Vichit, ont dû influencer le choix de l'ambassade US quand elle a cherché une tête civilisée pour son building 4. En ce moment, nous ne pouvons qu'approuver son choix. Le maton se lève prestement de sa chaise, salue pendant que nous nous dressons pour nous mettre au garde-à-vous. Vichit a un air enjoué qui nous charme et nous rassure. « *Good morning, gentlemen !* » Sans ironie.

Et il nous propose « ... car il n'est pas notre ennemi... Nous sommes sa deuxième famille, après sa femme bien entendu, Ah, ah, ah.. pour nous rendre la vie plus facile... car il comprend

139

que c'est pénible d'être si loin de notre pays, de nos familles... d'embaucher pour les corvées qui sont humiliantes pour nous, il le voit bien, une équipe de Thaïs. Bien entendu, il faudra la payer, cette escouade de la merde, mais seulement dix baths par semaine... » Enthousiastes, nous avons tous approuvé. Huit cent trente baths par semaine (nous étions quatre-vingt-trois), que nous verserions à Vichit qui paierait lui-même les Thaïs « selon leur mérite ». C'est tout juste si nous n'avons pas applaudi.

En dehors du fait que les huit cent trente baths ne quitteraient jamais la poche de Vichit, cette « faveur » était un test : si les farangs payaient pour ne rien foutre, ils paieraient pour de la dope ! en a probablement conclu Vichit.

Dans la section, il y avait de véritables fortunes : l'un avait cinq cent mille dollars, l'autre une compagnie d'avions-cargos, etc. Vichit le savait et il a discrètement organisé son propre trafic.

Avec lui, pas de spontanéité hasardeuse. Sans empressement, méthodiquement — car Vichit est un cérébral avant tout — il observe, teste, analyse, synthétise. Méticuleux dans sa tâche comme un biologiste avec ses souris blanches ; pour lui, nous sommes encore des énigmes. Quand il sera sûr de nous, il agira. D'abord avec circonspection, entre Asiatiques, par l'intermédiaire des Chinois qui, au-delà de leur boulier, ont la moralité fluctuante. En effet, les Chinois de Hong Kong ayant un passeport britannique, avaient droit d'asile à la section étrangère. Petit à petit, pour des raisons disciplinaires, Vichit en fera muter quelques-uns et les remplacera par des Chinois thaïlandais, aussi jaunes mais moins anglais.

Pendant longtemps nous n'avons pu savoir d'où venait la dope qui commençait à envahir la section. Les Chinois l'obtenaient par un garde, c'était certain, mais lequel ? Il ne nous était pas venu à l'idée de suspecter Vichit qui restait, pour nous, lointain. L'étonnement fut général quand, après la mort dans un accident de voiture du commandant de la prison, ami des Américains, Vichit a jeté le masque.

Le nouveau commandant était originaire du même village que lui, presque son père... Vichit, ne sentant plus peser sur lui aucune contrainte, a fait alors convoquer un ancien, Shappman, qui était ici depuis six ans, un juif américain riche et mythomane, junkie jusqu'au plus profond de ce qu'il lui restait d'âme, et lui a ouvertement proposé ses services.

Surprise par la convocation de Shappman, la section est en émoi. Pour parer à l'imprévu, ceux qui ont de la dope — avec la douleur qu'implique une telle séparation — furtivement, afin que personne ne s'en doute et n'aille la dérober, vont comme des chiens enterrer leur réserve du côté de la douche. Puis ils se lavent interminablement à proximité de leurs os. Les autres, pas dupes, épient, évaluent leurs chances de les braquer avant de se résigner à des pensées plus saines.

De notre bâtiment, nous pouvons voir les deux participants en pleine conférence. Vichit est calme, Shappman hoche la tête comme s'il approuvait. Nous tournant le dos, il est assis sur une chaise face au bureau de Vichit, c'est un bon signe, sinon il serait accroupi. Nous avons le pressentiment que la matière est importante et nous aimerions bien savoir.

Après plusieurs hésitations, on se décide à envoyer deux éclaireurs dans l'autre camp. Deux volontaires sortent, de dessous les décombres, un antique ballon de football. Forts de la science du renseignement, nous mettons au point un ingénieux stratagème qui consiste à faire shooter très fort les deux compères dans le ballon pour l'envoyer de l'autre côté. Ensuite, en se donnant des airs sportifs, ils iront le chercher et ramèneront des informations importantes... Mais, malgré la bonne volonté, le ballon a du mal à prendre son envol. Le pied droit des footballeurs s'enfonce dans la membrane de caoutchouc qui retombe trois mètres plus loin. Merde, l'instrument est dégonflé ! Les deux espions doivent se résigner...

Alors, les mains dans les poches, comme toujours, il nous faut attendre. Nous sommes des monstres de l'attente ; plus qu'une habitude, l'attente est devenue notre profession.

Ça y est ! Shapp s'est levé de sa chaise, se casse en deux et sort du bureau, il est visiblement impatient. Nous attendons la bonne nouvelle parce qu'ici, tout ce qui est nouveau, qui contrarie l'ennui, est une bonne nouvelle...

Représentant de commerce avec une grosse commande en poche, Shapp exulte. Il est chargé de vendre aux étrangers le programme Vichit qui se résume ainsi :

a) le building-chief nous fournira désormais la dope lui-même ;

142

b) les futurs clients de Vichit seront définitivement exempts de travailler, et ce, gratuitement ;

c) l'obtention des « classes » sera automatique. Le building-chief promettant de bien noter ses futurs acheteurs (en Thaïlande, les prisonniers peuvent, tous les six mois, s'ils se conduisent bien, prétendre à une classe. Il en existe cinq et seules les deux dernières sont intéressantes : elles peuvent faire réduire la peine en cas d'amnistie.

La deuxième, qui est en fait le quatrième échelon, autorise un rabais du tiers de ce qu'il reste à accomplir de la condamnation, elle est surtout favorable aux gens ayant une forte peine.

La première classe, une fiction, impossible à obtenir pour nous car il faut passer un examen en thaï, parler parfaitement la langue, connaître l'histoire du pays, la vie de Bouddha, etc., donne droit à un rabais de la moitié du reste de la peine à effectuer.

En prison, on attend toujours une amnistie. Les cas d'héroïne n'ont pas droit à la première amnistie survenant après leur condamnation mais ils deviennent éligibles pour la suivante) ;

d) ayant pouvoir absolu sur la section, Vichit donne sa protection contre tout garde trop agressif...

e) pour faciliter et éviter de faire rentrer de trop gros capitaux en cash, nous sommes invités à ouvrir un compte à la Bank of America où la femme de Vichit travaille (jusque-là, les matons faisaient entrer notre fric au noir, en prenant 30 % de commission quand ils n'empochaient pas le tout).

Impossible de croire que le building-chief nous

propose tout ça ! Consternation générale ! Même les vétérans, ceux qui se flattent de connaître l'Asie, sont perplexes : est-ce que Vichit ne cherche pas à démasquer les junkies pour désinfecter la section et les envoyer en pénitence au building 2 ?

Shapp, lui, est convaincu. Il nous assure de la bonne foi du chef. Il explique, il argumente, il se porte garant... Mais, Shappman, personne n'a confiance en lui. A trente ans, après douze ans d'héro, il est déjà sénile. Il a le teint blême, verdâtre des gens qui ont le foie « fatigué ». Pourtant, on peut encore sentir de la détermination en lui, on peut imaginer qu'il devait être ambitieux. Mais son ambition s'est usée, il n'en reste plus qu'une trace, celle qui le fait chercher envers et contre tout le fix du lendemain matin. Alors, plus Shappman parle, plus on se méfie de Vichit... Il propose d'être l'intermédiaire de la section auprès du chef pour une première transaction, un coup d'essai.

On hésite, on tergiverse, on se veut « réalistes », enfin on se décide et on réunit l'argent. Tout se déroule bien. Il semble que Vichit soit honnête.

Et puis les jours ont passé. Petit à petit, entre Vichit et nous, il y a eu plus que de la confiance, de la complicité. Le sol était devenu ferme, nous nous étions débarrassés de Shappman qui « grattait » sur la dope qu'il achetait pour nous.

Le building-chief, une fois par semaine, le lundi, à l'ouverture des portes des cellules, faisait le tour du bâtiment en gueulant : « Checks ! Checks ! » Nous lui donnions les chèques qu'il allait encaisser et deux heures plus tard, il reve-

144

nait pour distribuer les onces[1]. Car il ne vendait que par quantité... Au début, ses onces de dope pure étaient vendues cinq cents dollars. Le business a marché comme sur des roulettes avec toutes les facilités de paiement possibles, avec livraison et même service après-vente : un maton, addict lui-même, allait, chaque fois qu'on le désirait, contre rétribution d'un paquet de « smack[2] », acheter des shooteuses neuves à une pharmacie voisine.

La vie allait son train. Les étrangers, affalés vingt-quatre heures sur vingt-quatre contre un mur, à l'abri du soleil, blafards, les yeux mi-clos, les paupières lourdes, dans un silence éloquent, prenaient l'habitude reptilienne de se lover autour d'un rien, pour y puiser la chaleur que la dope inventait.

La poudre était la solution parfaite : outre qu'elle faisait de nous des êtres à sang froid, gelés, des néants dans un univers de néant, elle supprimait la faim, élément indissociable des prisons thaïs. L'administration distribuait bien une assiette de riz brun puant de vermine, mais, même les Thaïs, pourtant rompus à avaler n'importe quoi, n'y touchaient pas. Le riz non consommé était transformé en engrais pour les champs privés des matons où les tomates avaient un peu la couleur de notre sang.

Le manque de nourriture à Lardyao était tel que, même avec de l'argent, même en payant les denrées le triple de leurs cours, il était impossible

1. 1 once = 27,5 grammes.
2. *Smack* : autre mot pour désigner l'héroïne.

d'avoir à manger. Les matons acceptaient d'acheter de la dope, sur laquelle ils faisaient de gros bénéfices, pas de la bouffe, c'était trop encombrant. Il leur était de toute façon interdit de faire entrer de la nourriture dans la taule. Si bien qu'en dehors des colis postaux, rares, personne n'avait à manger, à l'exception d'un sergent-chef de l'armée américaine. Il recevait des boîtes de rations par l'intermédiaire de son capitaine. Ce dernier se déplaçait spécialement pour les lui apporter. Le sergent Jasper restait assis des journées entières devant son coffre-fort, une grosse cantine cadenassée sur laquelle étaient fixées, de surcroît, bout à bout, deux chaînes, des entraves achetées à un garde de l'office. A l'idée de se faire attaquer et dévaliser par les chacals que nous étions, il avait toujours une batte de base-ball à portée de la main.

Les autres avaient faim. Et dans la section, doucement, le long du temps, dans cette contrée où les reliefs s'aplanissent, où l'air se trouble, la plupart des étrangers non accrochés, parfois même farouchement hostiles à la dope, en venaient un jour ou l'autre, rongés par les nuits d'insomnie dues aux crampes d'estomac, à se foutre une aiguille dans le bras pour éviter la torture de la faim. Dans ce Gobi à huis clos qu'est Lardyao, la faim et l'héroïne se confondent, se substituent l'une à l'autre. Mais quand l'héroïne vient à manquer, la faim est encore plus douloureuse, toujours grouillante au fond des ventres où elle s'est installée. Cette privation double veut se nourrir, elle escalade les nerfs, s'y accroche, ronge les muscles. Plus tard, elle mange les esprits, dresse chaque détresse contre les autres détresses, parfait l'isolement de chacun. Les bouches bilieuses parfois, les yeux qui piquent un peu, qui pleurent souvent, les cerveaux qui s'effritent, hésitent. Les corps s'immobilisent, lentement, par économie, se couchent, cherchent le sommeil. Rien d'autre désormais que le sommeil... Puis, arrive un colis ! à la poste de une heure. Le maton ouvre le paquet : biscuits, lait en boîte, vitamines... De quoi acheter un bon fix...

Ce manque quasi total de nourriture faisait partie du programme inhumain du building-chief. Un programme scientifiquement pensé. Quand je suis arrivé à Lardyao, on recevait une ou deux fois par semaine deux sardines et deux concombres. De plus, nous étions autorisés, aux rares visites, à recevoir des denrées alimentaires. Si on avait de l'argent, il était même possible d'acheter du riz et de la viande au coffee-shop, quand il y en avait. Après la prise en main de nos vies par Vichit, tout cela a disparu. Plus de sardines, et aux visites, seule une très petite quantité d'articles était acceptée. Comble de la duplicité, la raison évoquée était qu'il pouvait y avoir de la dope dissimulée dans la nourriture. Dans cette période où il s'est développé parallèlement un marché de vitamines, de tranquillisants, de barbituriques et de méthadone, il était cependant impossible d'échapper à l'héroïne, le remède-miracle : elle réduit le métabolisme ; elle neutralise les amibes, elle a même une vertu antibiotique... Nous n'avions le choix qu'entre la faim et ses maux, et l'héroïne et son absence de

147

maux : nous n'avions pas le choix ! Certains étrangers parlaient de suicide collectif.

Je n'exagérerai pas en disant que l'héroïne m'a peut-être sauvé la vie, aussi paradoxal que cela puisse paraître. J'ai fait un pacte avec elle, devenue un alter ego : je ne lui résisterais plus, je lui donnerais mon futur, celui où je serais tellement intox que je ne pourrais plus décrocher ; en échange, elle me donnerait un présent viable...

Durant cette tranche de vie de neuf mois qui m'a semblé à la fois éternellement longue et incroyablement rapide, juste un instant, au-delà de la notion du temps, nous étions quatre-vingt-trois naufragés sur une même planche. Anesthésiés au plus profond de nos âmes, détachés, spectateurs allongés de l'univers d'indifférence que nous formions. Cadavres en sursis, nos dents tombaient, peu importe... D'abord elles se déchaussaient ; plus tard, elles cédaient... J'en perdrai deux sur le devant, mes molaires pourriront, sans même que je m'en aperçoive. D'autres les perdront toutes... Puis c'est le tour des cheveux. En deux actes. D'abord, ils deviennent blancs, nous sommes des vieillards, puis ils se détachent. Certains les perdront par poignées...

Tout est silencieux.

Six heures : l'ouverture des portes. Des ombres descendent dans le préau du rez-de-chaussée. Derrière elles, le bruit des clés résonne. On imagine la main qui les dirige, manœuvre les serrures. Les loquets claquent. Les cellules sont refermées. Je m'arrête, j'écoute avec l'étrange impression d'avoir oublié quelque chose. Mais non, je n'ai rien oublié... Des spectres rôdent autour de la section, sans un mot. Absents. Personne ne se rencontre. Par réflexe, vague instinct, ils essaient de trouver à bouffer.

Parfois, le matin, les Thaïs du garage voisin, manquant d'eau, viennent par groupes, gardés par une tunique bleue, se doucher dans notre bac. Ils apportent du riz qu'ils vendent au plus offrant, contre un « jean-wrangler-only » ou des Rayban pour avoir l'air intelligent. L'échange est rapidement conclu avec des gestes saccadés, des mains qui s'impatientent.

Ceux qui n'ont pas à manger mais ont de la poudre, pour se consoler, baissent leur short, s'accroupissent, se passent le doigt dans l'anus pour en sortir le « stock » et le « gun », bien emballés dans du plastique et se préparent un fix avec un désespoir tranquille. Ils roulent entre leurs doigts le bout de coton qui leur servira de filtre. Automatiquement, deux ou trois types se pressent aux extrémités du préau pour faire le guet. Car si Vichit nous a accordé sa protection, il laisse quand même à certains gardes un droit de chasse... Prenant un air qui se veut détendu mais ne peut l'être, les sentinelles marchent la tête basse le long du bâtiment qu'ils protègent. On sent de l'agitation dans leurs mouvements. Hier encore ils avaient de l'héro, aujourd'hui, ils sont malades et doivent surveiller les matons dans le building en face mais, malgré eux, ils surveillent surtout la poudre qui se dissout dans les cuillères. Ils deviennent impatients quand, à seulement dix mètres, derrière un mur de soutien, les aiguilles pénètrent les veines, doucement, ostensiblement... Mais il leur faut encore attendre et c'est aussi maintenant qu'ils ont à être le plus attentifs aux matons.

C'est plus fort qu'eux, imperceptiblement, ils se sont rapprochés, oubliant même leur mission, car, bientôt, dans quelques secondes, tout va se jouer très vite. Ce sera, entre eux, au plus rapide, à celui qui récupérera le plus de cotons imbibés dans les cuillères qu'on leur aura laissés. Ils savent qui laisse de « bons cotons » et qui les abandonne secs et, dans un même élan, ils fonceront sur les cuillères convoitées pour en ramasser le plus possible, une dizaine de filtres encore imbibés amortissent le manque...

Ceux qui ont déjà expédié leur shoot, afin d'éviter une mauvaise surprise, remballent prestement leur matériel et se le refoutent dans les entrailles, car à tout moment peut surgir un maton intéressé par de la poudre ou du fric. En général, les gardes répugnent à fouiller l'anus. Nous sommes tellement sales qu'après nous avoir fait vider nos poches, ils n'insistent pas.

Nous nous allongeons et, deux heures plus tard, ceux à qui il reste de la poudre se font un autre fix. Un gramme par jour, deux grammes par jour, parfois trois, quand elle n'est pas de bonne qualité.

Les jours passaient ainsi, pas lentement, pas vite... Ils ne faisaient que passer et on ne les regardait même pas...

Le lundi, énergiques, on se levait tôt le matin pour attendre Vichit. On lui établissait un chèque. Il revenait deux heures après. On touchait. On goûtait. On discutait la qualité qui devenait de plus en plus mauvaise. On riait... On goûtait une

150

autre fois pour être bien sûr... Il fallait shooter un peu plus, toujours plus pour nous évader. Les onces maigrissaient ne pesant plus que vingt grammes. On devait faire gaffe de tenir jusqu'au lundi suivant... On vivait...

Brusquement, un lundi, le prix de la dope a doublé !

Six heures du matin, Vichit n'est pas passé dans le couloir pour collecter les chèques. Derrière les grilles, le climat annonciateur du manque s'installe. Les secondes s'étirent, bâillent, se font attendre. Les corps transpirent, déglutissent dans une grimace. Une salive rêche irrite les gorges. Les souffles deviennent laborieux, suffocants. On se force à bien respirer comme les yogis mais ça ne marche pas, les cages thoraciques sont dures, elles compriment les poumons qui s'épuisent. On arrive à s'abuser quelques instants en pensant que plus on est mal, plus le fix de tout à l'heure sera bon. Puis, aussitôt, on panique : et si Vichit ne venait pas ?

Les cellules sont enfumées, les cigarettes tremblent au bout des doigts qui les écrasent. Il fait froid et aussitôt, il fait trop chaud. On transpire à flot et la sueur a une obsédante odeur de cadavre pourri qui empêche encore plus de respirer, force à tousser, convulse les estomacs pour les faire vomir. Et on tousse encore, une toux aigre, irrépressible, qui se communique, qui se transmet à travers les cellules, griffe les nerfs, secoue les corps jusqu'à ce qu'ils se déchargent, expulsent un gueulement :

— Fumier de Vichit !

Et la toux s'en va. On ne sait pourquoi, simultanément, comme si, malgré notre isolement, on faisait partie d'une même chair, d'un même organisme, on se lance vers le trou des toilettes en serrant les dents comme si elles pouvaient faire barrage à la diarrhée qui coule chaude le long de nos jambes, brûle nos sphincters qu'on ne contrôle plus. Accroupis au-dessus du trou noir, on s'arc-boute, on s'accroche à la rambarde de ciment qui l'entoure et on se vide. On dégorge un liquide jaunâtre qui nous enflamme l'anus et nous épuise comme si on venait de se vider de notre substance. On se lève alors pour laisser la place à un autre. Nous défilons tous au-dessus du trou noir. On se dégoûte à cause de ce corps qui défaille, qui ne nous appartient même plus, nous torture comme s'il nous haïssait. Il nous reste une tête mais elle est tellement douloureuse, il semble que notre cerveau soit pris de gigantisme, il va faire éclater cette boîte dans laquelle on l'a emprisonné. Si seulement on pouvait dormir, mais les muscles sont trop éveillés, ils se révoltent. Seuls les yeux sont fidèles, nous ne sommes plus qu'eux, réfugiés derrière l'humidité qui les inonde, au milieu de nos pupilles immobiles, énormes.

Une demi-heure vient de se passer, rien qu'une demi-heure. On entend le tintement rythmé des clés à travers les escaliers. Enfoiré de maton qui ne se presse pas, joue avec notre impatience ! Il a bien vu dans quel état on est, ce salaud, mais il traîne, se trompant de clé pour ouvrir notre porte. On voudrait pouvoir l'étriper, lui arracher la tête et l'écraser sous nos pieds. Mais quand la porte s'ouvre, nous lui sommes reconnaissants de nous

152

avoir presque délivrés. On s'élance comme une horde vers les marches : Vichit est en bas, on vient d'entendre sa voix ! Et on est heureux de l'entendre ! Vichit, on a envie de l'embrasser. On l'aime autant que tout à l'heure on le haïssait. Il ne nous a pas laissé tomber, il ne pouvait pas faire ça, il sait qu'on est tous malades à en crever et il est venu nous sauver !

Vichit, notre père et notre mère à la fois, un dieu, nous a tous fait asseoir par terre... « Calmez-vous ! Calmez-vous ! » dit-il en levant les bras au ciel.

Vichit a toujours semblé être de petite taille mais à ce moment-là, il est immense, jupitérien, et nous, tellement fragiles... Il peut tout et il le fera.

Vichit explique : « Le prix de l'héroïne à l'extérieur a presque doublé, les risques sont plus grands... » On s'est souvenu, pour l'occasion, qu'il y avait un extérieur.

Lui-même, un officier, a été fouillé par la CSD à l'entrée de la prison. On s'est souvenu qu'il y avait une prison...

La matinée s'est passée en pourparlers. Vichit enfin a dit : « Je fais un compromis ! » On a tous écouté attentivement.

a) Les onces doubleraient de prix mais pèseraient vingt-cinq grammes.

— Des onces à vingt-cinq grammes, même si elles devaient peser vingt-sept grammes, c'est quand même mieux que des onces à vingt grammes. Ah, ah, ah...

b) Il allait faire pression pour que nous obtenions de la bouffe aux visites.

c) Pour ceux qui voulaient décrocher, il ferait délivrer par le médecin des prescriptions de tranquillisants et même de méthadone.

Il est vrai qu'à cette époque, l'ambassade US, absorbée pendant quelque temps par les boat-people vietnamiens, se manifestait à nouveau par le courrier...

A partir de ce moment, pour l'essentiel, la situation s'est améliorée. On a eu droit à nos tranquillisants et méthadones... De plus, contre paiement de toute la section, on a vu réapparaître le riz et les sardines réglementaires. L'administration se serait-elle émue de notre état ? Mon cul ! Malgré cela, personne n'a pu décrocher. Le smack s'était insinué trop profondément.

Moi-même, avec des méthadones, j'ai essayé. Bien entendu, j'ai échoué. C'était impossible.

C'est impossible de décrocher quand, toutes les demi-heures, quelqu'un se shoote à côté. Si près qu'on sent l'odeur insistante de la poudre qui se dissout. Par réflexe, on tourne la tête et le regard se fige sur une seringue qui fait des tirettes... Va-et-vient du sang... Clin d'œil... Appel... Présence hypnotique de l'aiguille... Fraternité silencieuse dans la dope... appel constant, lancinant...

Un jour, pour une seconde de relâchement, retombant sous le charme, on va demander et quelqu'un donnera. Rien ne se donne en prison ? Dans ce cas-là, si...

La présence des autres, leur commisération, leurs phrases exaspérantes, leur ton qui se veut bienveillant : « Ne fais pas le con, si tu restes seul tu vas devenir dingue... » Dynamique étrange, sensualité. Ma lâcheté. La dope, de junkie à junkie, est la plus grande des perverses. La plus insidieusement envoûtante des séductrices. Le junkie est le prosélyte malsain de son apostolat. Il est mon frère mais, en voulant m'éloigner de l'héro, j'ai trahi le pacte du sang. Je suis coupable et je me sens coupable... Le junkie va tout faire, par n'importe quel moyen, par toutes les machinations possibles, pour que le « libéré » échoue. Ça tient de la mystique.

Il est donc impossible de décrocher parmi les dopés. C'est une certitude. Comment rester loin de ses anciens frères devenus ennemis mortels ? En taule, l'espace manque. Au bout de quelques jours, on capitule, réintégrant la « grande famille »...

Echecs répétés de mes tentatives, mais je shootais moins. Parfois moins d'un gramme, ce qui était déjà un énorme résultat.

L'héro est un esprit, une dialectique implacable, terriblement expansionniste. Un virus qui se transmet par contagion.

Malgré les inconvénients de la nouvelle « convention collective », à l'intérieur de l'équilibre narcotique dans lequel nous nous étions installés, cette fuite en avant pour échapper au temps, la situation était plus agréable, plus humaine. Mortelle mais humaine...

A l'approche des Viets qui venaient d'envahir le Cambodge, l'armée thaï effectuait la tournée des prisons pour y collecter le sang bon marché dont elle aurait besoin en cas d'affrontement.

Le building-chief avait donc fait réunir tous les

étrangers et, sans explications, nous avait tous envoyés à l'hôpital où nous attendaient les infirmiers militaires. Nous n'étions pas autorisés à refuser la « ponction » mais de toute façon, nous allions aux « trayeuses » avec un enthousiasme secret. Sournoisement. En effet, notre taux sanguin d'héroïne devait être tellement élevé que l'armée thaï, en cas de conflit, serait intoxiquée. Juste retour des choses, pensions-nous. Ces ordures de Thaïs paieraient le prix de notre sang. Nous étions heureux !

Sur l'écran de notre imaginaire collectif, avec délectation, on voyait, sur un lit d'hôpital, un officier exsangue s'éteindre, la bouteille de transfusion suspendue au-dessus de lui se vidait en faisant des bulles. C'était notre poison qui s'écoulait dans ses veines. Sûr, les médecins allaient flipper devant l'énigme...

Le gag consacré était : « Putain, le salaud qui va recevoir mon sang va se payer une de ces overdoses ! Ah Ah Ah ! »

Malgré les rires, malgré la haine, nous avions cette conviction d'aider le sort, l'espoir intense que notre sang servirait notre libération. Le sang des shooteuses, le sang des coups, le sang et sa fascination. Nous vivions à ce point au milieu du sang, à Lardyao, qu'il était devenu un culte. Nous avions le sentiment mystique que par le sang, nous atteignions un absolu, alors pourquoi pas la liberté ? Surtout que les Viets étaient avec nous, nos alliés ! Nous savions que partout où arrivaient les divisions de Giap, leur premier soin était d'ouvrir les portes des prisons. Les plus anciens d'entre nous qui, des années durant, avaient ressassé leurs humiliations, éprouvaient un ressentiment tel qu'ils ne pouvaient plus concevoir leur liberté sans le bain de sang expiatoire qui seul pourrait leur rendre une dignité. Leurs discours frôlaient la démence. Fanatiquement pro-Vietminhs, certains avaient la haine si anarchique qu'ils se promettaient, à l'arrivée des Viets, « juste une question de jours », de s'inscrire au parti et de faire fusiller « tous ces enculés de junkies ! » En oubliant qu'eux-mêmes étaient junkies.

Entre les fix, toujours pas de Viets. On attendait sans trop d'illusions le moment où, comme au cinéma, devant le bruit du canon, les matons s'enfuiraient en se débarrassant de leurs uniformes. On tentait parfois de faire parler les plus jeunes des gardes mais, invariablement, ils répondaient que les Viets les craignaient et seraient irrémédiablement écrasés s'ils se risquaient à mettre un pied sur le sol thaïlandais. D'ailleurs le Bouddha, que tous les Thaïs portent autour du cou, était plus efficace qu'un gilet pare-balles... Durant la guerre du Vietnam, le très sérieux *Bangkok Post* distillait, à la une, des récits exaltant le courage et l'invulnérabilité des soldats thaïs engagés au Vietnam, contre lesquels les balles rouges ne faisaient que rebondir. Tous les jours on pouvait lire, en première page, qu'une section des soldats de Bouddha avait fait prisonnier un bataillon de Viets après avoir détruit une centaine de tanks ennemis, etc. Depuis, le peuple siamois était certain de la victoire.

Pendant la période des accrochages de frontière Thaïlande-Cambodge, certains condamnés à trente ans ou plus, les Viets constituant leur dernier espoir avec des projets de massacres, écoutaient la station de langue anglaise de Bangkok, sur des radios sommaires fabriquées par les Chinois qui les vendaient au prix fort.

Une nuit, nous sommes tous réveillés en sursaut par des beuglements hystériques : « Les Viets arrivent ! Deux divisions ! Avec des blindés ! »

Les petits haut-parleurs grésillent dans les cellules du fond. On essaye d'entendre la voix métallique qui s'en détache, mais c'est trop loin, à l'autre bout du couloir. Les plus sceptiques d'entre nous, blasés, se recouchent déjà, espérant échapper, par le sommeil, à la déception générale qui ne va pas manquer de suivre. Déjà tant d'illusions déçues ! Ils ne voudraient pas entendre mais n'y réussissent pas, ils écoutent malgré eux, captivés par les grincements de voix qui n'en finissent pas de ne rien signifier. Ils se dressent brutalement quand ils croient avoir déchiffré une phrase, un mot, par-dessus les bourdonnements. Puis ils se souviennent qu'ils ne veulent pas écouter et, avec la moue dubitative qui, à Lardyao, est un signe de maturité, ils se laissent à nouveau retomber sur les trois couvertures qui leur servent de litière. D'un geste agacé ils cherchent près d'eux une chemise, un sarong, dont ils se couvrent les yeux pour s'abriter des six néons constamment allumés au plafond et qui empêchent, même la nuit, de se cacher, de s'isoler quelques heures. « Putains de néons... »

Quand, brusquement, venant de la droite, la

voix de Jasper éclate en même temps qu'il frappe du plat de la main le bois du plancher.

— L'armée thaï est bousculée !

De nouveau des grésillements.

— Ils sont à trente-trois kilomètres ! (Bangkok est à quelque cent kilomètres de la frontière du Cambodge).

A ces mots, c'est le délire. Euphoriques, tous accrochés aux grilles, des barreaux croisés qui donnent aux cellules un aspect de cages, le volume des postes clandestins poussé au maximum, nous restons éveillés, en émoi, les cartes touristiques de la Thaïlande déployées devant nous. Supputant, calculant, fantasmant.

— Ils seront là demain matin au plus tard ! (En 1941, aux termes d'un accord passé avec le gouvernement thaïlandais, les Japonais avaient mis quatre heures pour atteindre Bangkok et contrôler le pays.)

A trois heures du matin, le sort de la Thaïlande est réglé. Celui des gardes aussi... Chacun va, dès l'ouverture des portes, buter son maton préféré en inventant les tortures les plus raffinées. Quelle jouissance !... Ça faisait tellement longtemps...

A cinq heures, terrible déception, les Viets se retirent...

Ce n'était pas une invasion. Les Viets n'avaient accompli qu'une opération de nettoyage. Les *bodoïs*[1] tant attendus, même s'ils avaient bousculé les lignes thaïs, créant ainsi un incident diplomatique dont ils se foutaient complètement, n'avaient fait que poursuivre, sur le sol thaïlan-

---

1. *Bodoïs* : soldats vietnamiens.

dais, une unité de Khmers Seraï. Suite à quoi, Pékin leur avait lancé un ultimatum, les invitant à se retirer immédiatement sous peine de représailles... Inutile de faire des commentaires sur notre désespérance et notre rage à l'ouverture des portes.

A six heures, c'est un cortège funèbre, résigné, un peu plus gris que d'habitude, un peu plus sale, un peu plus désabusé, un peu plus venimeux aussi, qui s'écoule lentement des escaliers sur la platitude de cet autre matin.

Les Chinois de la section devinent une animosité, une accusation de la part des Blancs. Malgré leur calme, on peut sentir leur inquiétude. D'ailleurs, ils sortent ensemble du bâtiment, groupés, leur paillasse de jonc sous le bras en fin de cortège. Ces Chinois-là : des transfuges, devenus anglais de Hong Kong ou même thaïlandais, sont tout de même pour nous des « chins ». Ils ne sont pas en sécurité au milieu de notre rogne et, furtivement, dès qu'ils sont en bas, ils se glissent à distance respectable des étrangers aujourd'hui soudés, solidaires dans la peine. Malgré ces précautions, la journée ne s'est pas passée sans un accrochage violent avec les « chins » qui a failli tourner au pogrom... Et ce fut un bien triste jour. Putains de « chins » !

Très rapidement, nous nous sommes remis de ces déboires. Le fait d'être prisonniers, avec ses petits aléas, était depuis longtemps intégré à notre existence. Taulards, mais avec le sentiment d'être plus que ça, de vivre quelque chose d'exceptionnel, nous étions convaincus de la futilité du monde extérieur. Nous étions des élus. La liberté était devenue un concept si abstrait qu'il ne servait plus qu'à justifier, normaliser nos moments dépressifs. Le bonheur, c'était l'oubli.

Tout ce qui provenait du « monde libre », plus que suspect, était outrageant, une agression dirigée contre notre tranquillité précaire.

Mais il semblait que Dieu, qui n'a pas d'yeux, au hasard, nous avait montrés du doigt et lancé un sort contre lequel nous ne pouvions rien. Chaque fois que nous retournions à nos habitudes, un autre événement venait les saborder. L'affaire des Viets était réglée depuis à peine un mois quand, pour des raisons bien lointaines, notre équilibre fut de nouveau bouleversé.

La récolte d'opium, là-haut, derrière la frontière birmane, si loin, dans le triangle d'or, à cause des pluies, avait été mauvaise. De plus, le commandant de Mahachaï et son vice-commandant venaient d'être accusés de corruption et arrêtés... Et, pour couronner le tout, la Thaïlande faisait face à une inflation galopante dont le bruit parvenait jusqu'à nous : le ministère de la Justice « empiétait », nous étions en 1979, sur son budget de 1982. Tout allait de mal en pis, et pour nous plus encore, car la conséquence directe de toutes ces catastrophes a été que le prix de la dope, « chez nous », a encore augmenté...

Fin diplomate, afin de nous mettre en condition, Vichit n'est pas apparu pendant deux semaines. Ce salaud avait pris des vacances... Sûr qu'à son retour, malades comme des chiens immondes que nous étions, nous serions prêts à payer la dope à n'importe quel tarif. Vichit savait manipuler le manque. Souffrances et désespérances ont suivi son escamotage !

Après de vaines tentatives d'opération banzaï vers les buildings thaïs, après quelques vertiges, la section, en bloc, est tombée en chute libre dans la béance du sevrage. La fièvre inquisitoire que nous redoutions plus que la mort elle-même a dévasté tous les petits espoirs, toutes les petites vies, avant de nous écraser sous son poids énorme. Trois jours hallucinés où les douleurs isolées fusionnaient avec toutes les autres pour ne former qu'un amalgame de corps dévastés, de chairs tétanisées qui sursautent, tressautent, se recroquevillent comme des vers dans lesquels on enfonce une lame de couteau. Les sexes bandent avant d'éjaculer par réflexe. Les poumons ne savent plus respirer. Les cœurs suffoquent, vont étouffer. Les os se disloquent. Les têtes sont abruties... Enfin le coma qui libère comme un coup de poing.

Le quatrième jour découvre notre groupe hébété, livide, que le démon, pris de lassitude, avait abandonné. On remonte brutalement à la surface. Vichit, la dope, la prison, le passé, le futur, se mêlent, appartiennent à une autre dimension d'où nous avons été expulsés. Nous avons été malades mais nous ne nous souvenons de presque rien, ou alors... Juste quelques bribes nébuleuses, des instants où subitement il était quatre heures et où il fallait ramper à l'étage supérieur avant que les matons referment leurs portes sur la nuit.

Et puis, brusquement, sans qu'on puisse les contrôler, tous les visages qu'on avait depuis

162

longtemps occultés, tous ceux qu'on aimait, qu'on avait relégués dans la galerie des glaces du labyrinthe transparent qu'est le subconscient, viennent casser les vitres de la baraque pour se venger, nous arracher des larmes qu'on ne veut pourtant pas verser.

Longues nuits où l'on ne dort pas, où l'on se ronge les doigts qui n'ont plus d'ongles. Les nez dégoulinent, on se passe machinalement le revers de la main sur le visage pour se moucher. Réfugiés dans les cavités profondes que la fièvre a creusées, les yeux aux pupilles dilatées cherchent autour d'eux une couleur, un goût, une odeur, un sourire qui aurait une beauté, mais ne voient que d'autres yeux qui leur ressemblent...

On essaie de ne pas dormir afin d'éviter les trappes dont les demi-sommeils du manque sont faits. Mais on n'y peut rien, la fatigue et la faiblesse se liguent, nous entraînent dans leurs égouts. Puis, c'est le réveil soudain, auquel on essaie encore une fois de se cramponner jusqu'à la prochaine défaillance... Il doit être trois heures du matin. La nuit pleine de peurs est trop longue et les crampes font leur apparition. Alors, on arpente la cellule trop étroite, on se souvient qu'un jour, on sera libre. Tout à coup une lumière, non, un son. Ce n'est pas une illusion, on l'entend de nouveau, même pas à trois mètres, juste dans la cellule voisine... On entend la guitare de Rodney qui cherche des accords et puis sa voix. Une voix plaintive et douce. On peut entendre les sons, on peut voir à travers le mur les notes qui brillent quand elles se détachent des cordes pour venir hypnotiser les démons qui nous bouffent. C'est comme un exorcisme que Rodney accomplit quand il chante *Wild horses*. Les déchets que nous sommes se tapissent contre le mur derrière lequel Rodney officie.

« *Wild horses, couldn't drag me away* »... Je me souviendrai toujours de ce moment. Je me souviendrai toujours de la voix du fils de pasteur texan.

Rodney, un Américain timide, avait l'air insignifiant tant il ne prenait physiquement pas de place. D'une lenteur irritante, prudent, il semblait marcher sur des œufs, ne levait le pied que s'il était sûr de pouvoir le reposer en lieu sûr. Les yeux toujours mi-clos, avec, par-dessus, une mèche de cheveux en visière, il paraissait ne jamais rien voir et se diriger au radar. Chauve-souris, derrière son apparente tranquillité, il cachait tout un appareillage d'instruments de navigation qui lui servait à éviter les obstacles.

Il devait avoir dix-neuf ans quand, à la fin des années 60, il avait quitté son Texas natal pour aller traîner ses tennis pendant quinze ans sur les chemins tortueux des Indes de la sagesse. Sa guitare sur le ventre, il avait changé de gourou comme il changeait ses cordes, sombrant finalement à Bangkok où je l'avais rencontré quelques mois avant notre arrestation.

En taule, nous avions tous du respect et de l'affection pour ce fils de pasteur égaré, un peu inattendu dans notre bestiaire où il n'aurait pu survivre si, au milieu de l'ambiance carnassière de Lardyao, les étrangers n'avaient voulu préserver, par mesure de salubrité, un havre où poser leur tête quand elle serait trop lourde. Ils avaient décidé que Rodney serait ce « havre de paix au milieu de la tourmente ». Occasion unique pour lui qui, par excès de zèle ou par instinct héréditaire, avait endossé la sainteté paternelle afin de dispenser le réconfort...

Contre rétribution s'entend, parce que Rodney, à sa manière timide, inexorable malgré sa lenteur, avait fini par imposer son propre culte où les offrandes étaient la moindre des choses : un fix ou un repas. Assistance matérielle contre assistance morale, petit à petit, *the soft Rodney* était devenu une institution.

Même les matons étaient apparemment sensibles à son charisme. Lors de son entrée en prison, exceptionnellement, ils ne lui avaient pas confisqué sa guitare, ce troisième poumon qui était aussi sa bible. Quand, à Mahachaï, il avait laissé son instrument en gage contre deux baumes qu'il avait shootés sans pouvoir rembourser ses créanciers, le doux Rodney avait dépéri. Il s'était alors passé quelque chose d'incompréhensible au sein de notre confrérie. Les étrangers, spontanément, avaient organisé une collecte pour racheter aux Thaïs la guitare sacrée... Outre son lien métaphysique avec elle, Rodney avait une autre religion : le yoga ! Un yoga aménagé où la dope avait sa place car, voguant au-dessus de cette contradiction, Rodney n'accomplissait sa géométrie dans l'espace qu'après un bon fix. Personne n'y a jamais rien compris, on avait même fini par trouver ça naturel.

Rodney était un médium quand il prenait sa guitare pour nous raconter les péripéties d'un junkie en prison. Des histoires pathétiques où, en clin d'œil, la dérision nous faisait sourire quand il parlait de nous.

Cette nuit de manque où nous nous étions groupés contre le mur de la cellule pour l'écouter, c'était notre propre complainte qu'il chantait.

« *Wild horses, couldn't drag me away* »...

L'ambiance du dan 4, dans son essence, était plus sordide que jamais.

Dans cette atmosphère de malaise pesant qui précède la mousson, quand l'air gras venant de la mer a des odeurs de poisson mêlées à celle des algues, où les moustiques envahissent les cellules, la planche d'héroïne pourrie, à laquelle tous nous nous accrochions, a chaviré. Son remous a créé une vague de démence qui a renversé l'un des piliers de la section en la personne de Kissinger Henry.

Kiss était un énorme type de quarante ans. Trois ans qu'il étouffait à Lardyao !

Arrêté à l'aéroport, en possession d'un kilo de poudre, par la police américaine qui lui avait tendu un vaste filet, il avait poussé le défi jusqu'à se présenter à l'embarquement avec un passeport au nom du célèbre Henry Kissinger...

Ce colosse désorientait les habitudes. Il avait le romanesque des aventuriers ambigus dont on a l'impression qu'ils sont factices parce qu'ils ne correspondent pas à l'idée physique qu'on s'en fait ; copie mal conforme du baroudeur, son attitude de vieux garçon manquait d'exceptionnel. Son camouflage c'était son physique. Personnage en trompe l'œil, Kiss semblait doux, impersonnel, sans aucune nuance, portant des lunettes d'employé de banque sur son visage carré. Rassurant, un peu gauche, à cause de ses cent trente kilos, toute sa physionomie participait de l'apparence paisible du bon mormon. Il s'exprimait toujours d'une voix mesurée, faussement molle, pour ne dire que des choses banales quand, en public, on lui demandait un avis.

Mais, au fur et à mesure qu'on découvrait l'homme, il se mettait à exister avec une consistance et une ampleur d'autant plus fortes et inquiétantes qu'elles étaient insoupçonnables.

En apprenant sa biographie impressionnante, on ne pouvait s'empêcher d'un moment de doute. « Lui ? Ce n'est pas possible. » Kissinger, dont personne à Lardyao ne connaissait le vrai nom, était réclamé par une dizaine de pays : hold-up en Arabie Saoudite, en Iran, et ainsi de suite. Rien qu'aux Etats-Unis, il totalisait douze chefs d'accusation.

Kiss avait du fric, beaucoup de fric, et faisait fonction de banquier. Un peu usurier sur les bords par principe, il prêtait contre 80 % d'intérêt à quiconque pouvait le rembourser dans un délai raisonnable. Des mecs lui montaient des bateaux insensés. Si le baratin lui plaisait, si le type avait du talent, Kiss mâchonnait le bout de ses doigts en réfléchissant puis disait : « Ecoute, mec, je suis sûr que tu me montes un bateau, mais tu l'as monté brillamment. Tu viens de me faire passer deux heures amusantes... Ça vaut bien cinq cents dollars. Et si tu n'as pas l'intention de me rembourser, je te jure que tu le feras quand même... »

Ce n'était pas vraiment une menace. Kiss

parlait d'une voix amicale, un peu mélancolique laissait tomber la cigarette qu'il avait aux lèvres, observait, fouillait des yeux le visage de son futur débiteur et le deal était fait... « Après-demain, tu auras le fric ! »

Il y avait quelque chose d'irrémédiablement logique dans le ton de Kissinger et le type, qui s'en retournait avec l'assurance d'un crédit, savait qu'il rembourserait. Pas par peur du châtiment mais parce que cela faisait partie de la règle du jeu.

Kiss prêtait du fric à moitié pour en gagner, à moitié par jeu. Peut-être même était-ce une forme de générosité pudique... Personnage complexe, intelligent, cultivé, il avait fait des études de gestion aux Etats-Unis pour aboutir, après mille tours, détours et contours, à Lardyao. Antithèse de ce qu'il aurait dû devenir, il était avant tout joueur... Au Vietnam, pour se faire réformer, il s'était fait tatouer « *fuck you* » sur le tranchant de la main droite, de telle sorte que chaque fois qu'il saluait ses supérieurs, il leur signifiait son message. Il avait été envoyé au trou et expulsé illico de l'US Air Force.

D'un calme sûr, il semblait inébranlable, jusqu'à ce que Dieu vienne le visiter...

Un matin comme les autres matins de Lardyao, un matin où l'on s'attend à ce qu'il ne se passe rien à force d'attendre qu'il se passe quelque chose, Kiss a fait le tour de ses débiteurs en proclamant qu'il avait découvert Dieu : « Nous sommes tous frères... Nous sommes tous dans la même merde... Tu ne me dois plus rien. » Et, les larmes aux yeux, de nous embrasser humidement.

Bien que ce genre de plaisanterie soit déconcertante de la part de Kissinger, on a tout d'abord cru à un *joke,* un joke comme tous les jokes noueux qui ont du mal à rebondir. Mais il revenait nous servir la même histoire toutes les demi-heures. On était à chaque fois plus embarrassés, « ah-ah-ah », en lui donnant des tapes sur le dos bien viriles, bien pas dupes, jusqu'à ce que quelqu'un lui réponde, pour le prendre à sa propre plaisanterie : « Ouais, on sait, les anges sont venus et t'ont taillé une pipe ! »

Kiss l'a regardé, a blêmi, il a penché sa grosse tête en avant comme pour se faire répéter ça. Tout le monde a compris à ce moment-là que quelque chose de grave allait s'accomplir. Un silence a figé la section. On s'attendait à ce que le poing de Kiss, un poing énorme, s'abatte et écrase la face de son interlocuteur. Kiss a redressé la tête. Il avait un sourire ou plutôt un rictus enjoué au bord des lèvres, il a dit : « Les anges ne taillent pas de pipes », avant de s'en aller vers la douche.

Pour la plupart, nous sommes restés perplexes. Mais il y avait ceux qui ne doutaient pas de Kiss, qui étaient certains qu'il faisait de l'humour et appréciaient la performance : « Il est fort, Kiss, c'est un artiste. » Il y avait ceux qui se forçaient à compatir : « Pauvre Kiss, il était bien... » Il y avait surtout ceux qui appréhendaient les jours futurs : « Ça va être la merde si Kiss ne prête plus de fric ! » Ça préoccupait tout le monde : perdre Kissinger, c'était perdre un symbole, une force tutélaire dont la présence était sécurisante.

Une heure de l'après-midi : arrivée du courrier. Kiss reçoit une lettre de son ambassade : il va sortir de prison, sa demande de grâce est accordée, hurle-t-il. Connaissant son passé, sceptique, quelqu'un a demandé s'il avait formulé une requête de grâce royale. Kiss dit : « Pas encore. »

Il n'y a plus à s'encombrer de doutes, Kiss a perdu la raison. C'est triste et démoralisant mais personne n'y peut rien. Il ne reste plus qu'à passer à d'autres préoccupations en nous frottant les mains pour le crédit que nous ne lui devons plus.

Mais à Lardyao, au-delà des individualités, plus forte que tous les égoïsmes, il existait une loi biologique, presque une solidarité. Nous étions tous reliés sans le savoir par un même fil électrique qui communiquait à chacun de nous les courts-circuits, les tensions des autres. Bientôt, nous en avons eu la révélation quand le tour de Benjamin est venu. Est-ce que nous allions tous devenir fous ?

Benjamin était un Israélien d'une trentaine d'années. Il cultivait le physique du taulard professionnel en se rasant le crâne toutes les semaines. Fait de chairs molles, agglomérées sur une assise étirée en longueur, compact comme ces lutteurs japonais adhérant bien au sol, il n'avait jamais pu, malgré le régime de diète dans lequel nous vivions et toute la dope qu'il consommait, perdre ne serait-ce qu'un gramme de sa substance. Il semblait que les « misères » ne pouvaient atteindre son centre vital et faisaient flop contre son ventre quand elles le rencontraient. Benjamin était l'incarnation de l'intelligence yiddish, ajoutée à celle de l'expérience carcérale. Après trois ans dans les prisons d'Israël et cinq ans dans celles d'Allemagne — dont il venait à peine d'être libéré quand la DEA l'avait alpagué à l'aéroport avec un kilo cinq cents de smack — à son arrivée en taule, il avait ajouté un dernier tatouage : « *Born to loose* », au milieu de sa poitrine et avait décidé que la taule était son univers à lui.

Il paraissait bien s'y sentir et avait installé sa petite épicerie de poudre pour les quinze ans à venir, entre le courrier de sa nombreuse famille, les portraits de sa fille, de ses petits frères et neveux, accrochés aux barreaux bien que ce soit interdit. Il était le client exclusif des Chinois qui avaient toujours un peu de dope quand Vichit n'en apportait pas et il rivalisait avec eux dans l'art du commerce. Tout cela baignait dans la graisse et la bonne humeur de la cuisine tradition-nelle. Benjamin avait une existence heureuse, tranquillement réglée par les bonnes habitudes et les petits sous, immuable de corps et d'esprit. Pourtant, les choses pour lui ont changé, ont été bouleversées.

Après que Kiss eut perdu la tête, spéculant sur sa disparition, il s'était dit que les gens pendant quelque temps allaient avoir du mal à réunir assez d'argent pour acheter de grosses quantités à Vichit et se rabattraient sur les petits paquets des Chinois pour ne pas être malades. Il avait donc racheté à crédit le stock de ses fournisseurs et attendait que les consommateurs lui tombent dans les bras. Mais il avait mal calculé, la section avait réuni une somme suffisante pour acheter une once à Vichit. Benjamin n'avait rien pu vendre. Alors, en attendant une autre occasion, comme tous les junkies qui ont beaucoup de dope, il s'était mis à shooter encore plus, puisant à bras raccourcis dans sa réserve. Quand son épicerie fut vide, ruiné et endetté, il ne put même plus obtenir chez les Chinois un petit papier le matin et un petit papier le soir, pour endurer sans trop de dégâts le manque. Il n'a pas supporté le choc. Hallucinations sur hallucinations, sa tête n'a pas résisté, il a perdu définitivement la raison.

La nuit, il a commencé par voir des ombres longer furtivement le mur d'en face, puis ramper jusqu'aux arbustes de la cour. D'après lui, ces ombres étaient des soldats syriens qui lui envoyaient des ondes pour l'avertir qu'ils détenaient sa fille en otage. Benjamin logeait dans la cellule voisine de la mienne, celle de Rodney, et je l'entendais des nuits entières apostropher les soldats syriens. A l'aube, les soldats s'en allaient, Benjamin se laissait tomber par terre de désespoir. Pendant quelques minutes, il n'y avait plus que le silence. Puis commençait, comme un murmure, une étrange mélodie funèbre qui nous faisait tous frissonner. Benjamin entonnait le chant des morts...

A l'ouverture des portes, il se ruait vers les arbustes, et, derrière eux, il découvrait son père. Alors, il tombait en larmes et discutait avec lui jusqu'au soir...

Après Benjamin, ce fut un Allemand, on l'appelait « le docker ». Il venait d'atterrir en taule bien gras, bien fort, avec une bonne tête en forme de pot de fleurs sous une paillasse de cheveux blonds. Au bout de quinze jours de détention, ils étaient devenus incolores. Encore quelques semaines et il se transformera en squelette apparemment sucé par quelque maladie cancéreuse. La cause de cette dégradation n'était pourtant que le résultat de la faim conjuguée avec les amibes et l'angoisse. Ayant refusé la solution magique de l'héroïne, il a sombré dans la folie en fin de compte. Il s'est mis à bouffer sa merde et à attaquer les gens pour les mordre. Les matons thérapeutes ont trouvé la solution à son problème : ils l'ont enchaîné et lui ont fait sauter les dents à coup de matraque.

Et puis, il y avait les philistins, ceux qui essayaient d'exploiter la solution. Ils donnaient aux événements les plus démesurés une banalité presque indécente en leur opposant notre folie habituelle, celle dont nous avions fait notre réalité depuis des années, celle de la dope, du cynisme obsessionnel de la poudre.

Un matin, Neck, un petit Américain nerveux du Bronx, les cheveux roux dressés sur la tête, toujours en manque, branché sur cinq cents volts, est sorti du bâtiment en titubant. Il a trébuché avant de tomber à genoux, les yeux tournés vers le ciel pour lancer ses incantations. Neck en appelait au Bon Dieu. Il lui proposait un deal : « Ecoute, *man*, je veux bien croire en toi, même que je demande pas mieux, mais il me faut une preuve... Tiens ! un fix par exemple... Juste pour montrer que tu existes. J'essaie pas de te blouser, mec. J' t' l' jure. » Et il levait les bras en crachant par terre. « J' t' l' jure ! » Et de chialer pour faire plus vrai.

Comme par hasard, Kiss passait par là. Il a regardé Neck avec circonspection, de haut. Il était grand, Kissinger, et ça faisait vraiment très haut. Neck, en le voyant approcher, redoublait de ferveur. On a tous compris où il voulait en venir. Ça nous a fait rigoler. Kissinger s'est arrêté, a croisé ses bras énormes. Il y avait du mépris dans sa façon de regarder sans les voir nos âmes putrides. Il n'était pas dupe. Il a hoché la tête comme si ce spectacle le peinait. Tu parles ! Lui, il avait été visité par le Bon Dieu en personne, c'était pas pour se faire bluffer par ce petit con trop opportuniste. Il allait pas lui prêter du fric, à cet enfoiré de Neck...

Neck n'a pas eu son fix. Mais il ne s'est pas résigné. Un peu plus tard, il a recommencé en essayant la pitié, on ne sait jamais. Il est tombé encore une fois à genoux, encore plus convaincant que ce matin. Il a saisi ses chaînes, implorant Dieu : « Regarde mec ! Tu peux pas me faire ça, je suis malade merde ! » Et de claquer ses chaînes de martyr : « Regarde ce qu'ils m'ont fait ! » Et de chialer : « Je suis pas un chien quand même ! » Comme ça n'avait pas l'air de marcher, Neck s'est levé, fulminant, et lui a dit au Bon Dieu : « Enculé de ta mère ! Je t'encule ! Toi, ton père, ta sœur, ton petit frère, tous ! » Il s'est recroquevillé par terre et il a pleuré.

La deuxième semaine de sevrage fut interminable, prostrés, nous espérions une conclusion à nos malaises, nous ne voulions plus jamais avoir à subir le manque et pourtant nous attendions Vichit... en refusant d'y penser...

La poudre nous possédait, avait investi la substance de nos rêves où chaque nuit, un même scénario se répétait dans nos cerveaux rongés. Chaque matin, nous nous racontions nos rêves qui avaient tout du cauchemar, où la sexualité se mêlait insidieusement à la toxicomanie, semblables aux sujets d'une thèse de psycho élémentaire : perdu dans un décor irréel, aseptisé, fait d'un horizon d'entrepôts déserts où les couleurs ternes des murs, pourtant fraîchement peints, laissaient deviner une menace et une fuite qui aurait effacé toute activité, un type égaré semblait chercher une issue. Il ne trouvait pas, se perdait dans la succession de rues goudronnées qui divisait les entrepôts. Plus il marchait, plus il désespérait de trouver et plus le rêveur s'identifiait à cet homme. Au milieu de notre songe, au bord de la conscience, nous réalisions alors que l'égaré n'était autre que nous-mêmes et c'était insupportable. Nous cherchions la sortie jusqu'à l'épuisement, jusqu'à l'abdication, jusqu'à la supplication... Alors apparaissait une fille qui ne ressemblait à personne parce qu'on ne pouvait voir son visage, mais comme la mort, elle avait un sourire ambivalent. D'un geste lent, elle nous tendait une seringue à demi pleine. On prenait cette shooteuse qu'on plantait dans notre bras et au moment de presser le piston pour injecter la dose, on se réveillait dans l'effroi. On venait d'éjaculer ! Toutes les nuits, un rêve semblable envahissait notre inconscient.

Vichit est revenu ! Dans la section, c'est une délivrance. Nous n'avons plus de rancœur.

Vichit nous réunit une fois de plus pour nous faire savoir qu'il a reçu un blâme à cause de l'état d'abandon physique dans lequel se trouvent la section et nous-mêmes. Il est vrai que les cellules sont des dépotoirs et que nous sommes dans un état de faiblesse tel qu'aller à la douche et nous raser sont au-dessus de nos forces. Surtout, ce que dit Vichit, c'est qu'il a de plus en plus peur de la police. Il se sent surveillé. Nous met-il en position d'accusés pour pouvoir nous pressurer davantage ? Se serait-il constitué un assez gros magot pour se permettre d'arrêter son deal ?

En tout cas Vichit accepte de nous fournir une dernière fois... du kapsoun.

Le kapsoun est un brown-sugar ayant mal subi sa transformation. Terriblement impur, d'une couleur rouge, vendu en morceaux de vingt grammes, il est peu cher et très nocif. Après l'avoir chauffé dans la cuillère pour le dissoudre, on doit le filtrer soigneusement et aussitôt le shooter encore chaud. Sinon, il se solidifie et bloque la seringue. Et surtout, dans l'empressement, ne jamais rater la veine sinon, à coup sûr c'est l'abcès. Un abcès qui se développe de manière foudroyante, en un jour ou deux. Peu de temps avant mon arrivée à Lardyao, un Noir américain en était mort, l'abcès n'ayant pas été soigné à temps. Un Australien, lui, avait été amputé quelques jours avant sa libération.

Cette fois pourtant, il n'y a pas eu d'accidents... Les abcès étaient soignés aussitôt : le kapsoun, on connaissait maintenant...

Pendant cette semaine kapsoun, le building-chief a tenté de nous faire travailler. « Rééducation par le travail » est devenu son nouveau slogan. Le trafic de la dope était dangereux, il avait décidé de se garer un moment pour laisser refroidir le moteur. L'instauration du travail obligatoire dans le respect du règlement n'était, bien entendu, que le prétexte au très classique racket par les donations, contre exemption de travail. Vichit nous affirmait, avec toute la sincérité qu'on lui connaissait, que ce travail serait temporaire. A l'unanimité, nous avons refusé de nous soumettre à ce nouveau chantage. Il nous a fait enchaîner. A compter de ce jour, je garderai les fers pendant presque tout le temps des dix mois qu'il me restait à accomplir. D'autres, comme moi, les porteront... D'autres paieront... D'autres travailleront.

Quand les chaînes ne suffisaient pas à nous convaincre, il devenait foncièrement pathétique devant notre ingratitude. Il s'en tordait les doigts de déception, faisant appel à notre civisme : nous étions sur le même bateau et toutes les énergies seraient nécessaires pour donner à ses supérieurs l'image d'une section saine et dynamique pendant cette période bien difficile...

Quand nous restions réfractaires à ses arguments, suivaient les menaces, puis la séduction d'un avenir meilleur : ce travail était le prix de notre tranquillité jusqu'à ce que la conjoncture revienne à la normale. Enfin, Vichit devenait caressant quand il nous parlait de la poudre qu'il nous apporterait quand la tempête se serait éloignée, de la dope qu'il irait chercher pour nous à Chiang-Maï... Vichit nous prenait vraiment pour des cons... C'était humiliant de voir combien il nous sous-estimait.

L'argument de la poudre n'avait plus autant d'effet sur nous. Pendant les deux semaines du manque, nous nous étions efforcés de prendre de

177

la distance par rapport à elle jusqu'à être en révolte contre elle. Du moins, nous en avions la conviction. Prendre du kapsoun nous semblait être un petit compromis, seulement un de plus, et nous avions le sentiment qu'au fond de chacun de nous, il restait peu de traces de cette dépendance, de cette confiance délibérément aveugle, que la dope avait entretenue pendant un an vis-à-vis de Vichit. L'illusion du bien-être narcotique s'estompait quand nous regardions dans une glace le bilan tragique de ces bouches édentées qui étaient les nôtres. La réalité devenait insultante quand nous prenions conscience d'avoir été plus que des junkies, des victimes consentantes.

Avant le kapsoun délétère, nous avions tenu les quinze premiers jours du sevrage. Le plus dur était fait. Il ne suffisait plus que d'un dernier sursaut, peut-être même pas un mois, pour être tout à fait libérés de l'emprise de la poudre et de son triste pourvoyeur en uniforme ! Avec des airs de comploteurs, dans chaque cellule, quand les portes se refermaient, nous devenions des groupuscules militants. L'exaltation nous gagnait quand, avec l'émoi de la révolte, nous nous promettions de ne plus jamais nous résigner.

Bien sûr, il y avait les intransigeants de l'héro, ceux qui n'étaient même plus libres de concevoir leur existence sans elle, tant leur cerveau avait pris la forme d'une shooteuse qu'il leur fallait alimenter pour le faire fonctionner. Eux, n'avaient pas le choix. Indifférents à l'overdose, ils avaient trouvé leur sécurité dans la finalité du « fix-de-demain-matin » et leur vie, étape par étape, se situait dans l'espace réduit où manquer d'héro c'était pire que mourir, c'était, absurdement, redevenir un mortel, un obscène mortel. Nous n'avions plus que de la compassion pour eux et cette compassion était notre gage de succès.

Tous les matins, Vichit revenait à l'attaque en nous servant le même cocktail d'arguments et de menaces, avec des velléités de coups de matraque quand il était excédé. Jusqu'au jour où, pour bien nous imprégner de ce qu'était une « bonne section » et nous faire honte, il a envoyé, pour des périodes variant de quinze à trente jours, les récalcitrants à la section 6. La fleur des dans.

Il fut décidé que nous irions par rotation, en groupes de quatre, au building modèle. A ma surprise, je faisais partie du premier groupe. Dans mon idée je n'étais pas quelqu'un de particulièrement séditieux mais, je ne sais par quel hasard, chaque fois qu'il y avait un accroc dans la sérénité de la section, je me trouvais dans le rang des perturbateurs de l'ordre. Vichit, au fil des événements, avait fini par me considérer sinon comme un meneur, du moins comme un emmerdeur. Par ailleurs ma nationalité française ne pouvait que conforter son jugement. Il faut dire que les Français, en Asie, ont mauvaise réputation. Systématiquement, Vichit évaluait les gens en fonction de leur nationalité, si bien que, dès mon arrivée à Lardyao, j'avais été mis d'office au banc des gens à surveiller. Pourtant, je m'étais évertué dès le départ à ne pas me faire remarquer, creusant un trou à l'écart pour y passer mes dix-huit mois dans l'anonymat. Mais, fortuitement repéré par les matons, je n'avais pu éviter que mon nom soit inscrit sur la liste noire du building-chief. Dans mon dossier, bagarres, mauvaise volonté lors des corvées, actes de révolte et autres excès étaient venus s'additionner à l'antécédent de la chambre noire, pour faire de moi une forte tête.

Quand j'appris ma mutation, avec trois autres indésirables, au building 6, après un moment de surprise, j'en retirai plutôt de la satisfaction. Eh oui, Vichit, bien plus qu'il ne me punissait, me restituait un peu de personnalité en me bombardant ennemi public. J'étais prêt à en payer le prix. Quoi qu'il en soit, il ne me restait plus que huit mois de détention... Mais surtout, ce dont Vichit ne se doutait pas, c'est qu'il me donnait enfin le moyen de me libérer de la poudre. Car je savais qu'au building 6, fait exceptionnel à Lardyao, il n'y en avait pas un gramme.

Il était neuf heures quand l'ordre de transfert est revenu de la Kommandantur, dûment signé par le vice-commandant. Yong Yut, petit maton avec une tête de pastèque enfoncée dans son cou, le regard éploré — comme si notre départ était une catastrophe —, nous a conduits à l'étage pour que nous y fassions nos bagages. La fraîcheur de la nuit occupait encore les lieux quand je suis entré dans ma cellule et donnait à mon départ un air de petit matin où, en grelottant, il faut se presser pour ne pas rater son train. L'odeur âcre de tabac, mélangée à celle de la sueur acide, celle du passé, imprégnaient l'endroit, et c'était la première fois que je m'en apercevais. Comme un visiteur qui le découvre, je ne sais pourquoi, j'ai inspecté le lieu. Je me sentais mal à l'aise tout à coup et vague. Alors, pour éviter de me laisser prendre par la mélancolie, je me suis mis à jeter sur mes couvertures les quelques fringues que je possédais, mon patrimoine.

Pourtant j'éprouve de la peine. Je me sens seul. Je quitte un « chez moi » : ma cellule, ma place contre le mur de séparation, et quand j'enlève mes couvertures roulées que j'attache aux deux extrémités, la place où j'ai vécu un an n'est plus qu'un rectangle clair sur la crasse du plancher. Je me trouve pathétique : comme je me suis attaché à cet espace réduit, à cette portion de plancher dégueulasse ! Et puis aussitôt, je trouve ridicules ma gravité, ma sentimentalité de vieille fille. Je me souviens juste à temps que je suis un taulard sans peur ni reproche et j'aimerais le proclamer, le gueuler dans le couloir, que ça résonne. Je vois Yong Yut passer, il jette des regards en coin pour vérifier que je n'emporte pas dans mon exil des choses qui ne m'appartiennent pas. J'ai envie de l'agresser, car je sais que c'est un brave type qui ne me sanctionnera pas. « Hé ! Yong Yut ! Tu viens espionner ? T'as ton crayon pour le rapport ? » Yong Yut s'arrête, il me regarde d'un air las, sa petite face encore plus morne que d'habitude, puis il continue sa ronde comme s'il n'avait pas compris. J'étais content de ma lâcheté, elle me réconfortait. J'ai même ri, je crois, quand j'ai quitté la pièce en crachant par terre pour y laisser une marque... J'étais fort, je savais contrôler l'émotion du départ...

Avec ma couverture sous le bras, prolongation de moi-même, j'ai rejoint les trois autres exilés, assis à croupetons, dans la chambre 12. Ils se demandaient si, oui ou non, il fallait se shooter le reste du kapsoun maintenant.

— Ouais, au 6 y'a pas de dope et on va sûrement être fouillés.

Leur inquiétude alimentait mon arrogance : « Bon les mecs, on se le fait ce dernier fix ! » Yong Yut patrouille dans le couloir, on hésite et puis on s'envoie ce qu'il nous reste de kapsoun avant l'apocalypse.

Yong Yut observe à travers le grillage avant de s'approcher en disant : « *Not too much, careful !* » Ça nous amuse que Yong Yut s'en fasse pour nous, parce que nous imaginons les emmerdements qu'il aurait si on lui faisait le coup de l'overdose.

C'est un gros shoot, il nous engourdit, donne encore plus de solennité à nos gestes quand nous écrasons symboliquement nos shooteuses avant de tout jeter dans le trou des toilettes.

Il est à peu près onze heures. Yong Yut nous gâte : il a envoyé un Thaï du garage chercher un chariot à la cuisine pour transporter notre barda. Quand nous déposons nos effets sur les ridelles de la voiture, méthodiquement, pour donner plus de consistance au moment, ça nous donne le sentiment d'un vrai départ en vacances. Le garde s'en va vers l'office où il n'y a personne. Il dépose l'ordre de mutation sur le bureau de Vichit. La section est immobile, personne ne travaille aujourd'hui. Les étrangers sont réunis sous le préau, comme s'ils attendaient devant un passage clouté à traverser. Il y a un mur invisible entre nous, une immense vitrine derrière laquelle nous sommes des mannequins. Ils ne nous regardent pas vraiment. Ils sont venus là, par tropisme, sans trop savoir pourquoi. Hermétiques, ils ne ressentent rien et j'ai l'impression que tout à l'heure, quand nous nous en irons, ils resteront au même endroit, dans la même position, en fumant leur cigarette jusqu'à l'arrivée du courrier de une heure. Je me demande, en faisant le tour des visages, lequel va prendre ce soir ma place contre le mur, la meilleure place de « ma » cellule... Ils nous regardent, nous les regardons, nous nous regardons. Yong Yut revient et nous fait signe de partir.

Le chariot s'ébranle. Il y a comme une lourdeur, une résistance molle à nos mouvements : le poids des autres qu'on traîne avec nous. On dirait que nos pieds sont posés sur du goudron fondu qui fait ventouse et doit donner l'illusion que nous rechignons encore à partir, alors que nous voudrions courir. Ceux qui restent nous envient.

C'est vraiment un voyage au bout du monde. Nous allons marcher pendant des jours, des mois peut-être. Notre esprit aussi vagabonde. On ne parle pas, pour mieux s'imprégner du bruit des roues métalliques qui crissent sur le gravier... Nous sommes en pleine campagne, là où le silence a une morphologie sonore, un corps de verdure. De loin en loin des paysans nonchalants (des prisonniers ?) se penchent sur la terre. Quand ils nous aperçoivent, ils laissent tomber leurs outils pour nous regarder passer. Il y en a même un qui nous fait un signe de la main et, quand nous lui répondons, tous les autres bras se lèvent pour nous saluer. L'atmosphère devient tout à fait fabuleuse quand un maton sur un vélo nous dépasse, comme un facteur qui va au village en chantant à tue-tête !

Hallucination ? On rit. On voudrait y croire tous les quatre, on aimerait garder cette illusion de liberté arrachée à l'instant. On ressent la même chose, on voit les mêmes images dans la même perception. Yong Yut est avec nous au milieu des champs, lui aussi il rêve, lui aussi il est embrassé dans cette même douceur qui nous enrobe. Le mur de Lardyao est déjà loin, trop loin pour nous enfermer. Un mur imbécile, dont on ne peut pas apercevoir les extrémités, qui se plie comme un bras mécanique pour enserrer autre chose, là-haut, derrière les tours massives, de l'autre côté.

Nous approchons d'un poste de contrôle, un hangar posé sur la route, dont le portail d'acier peint en vert s'ouvre pour nous. Notre allure s'est accélérée en même temps que nous prenons conscience de la perversité de cette promenade bucolique. Nous nous étions laissés enchanter par les charmes de la nature en oubliant que la séduction ici est sournoise. Les élans passionnés conduisent toujours à une impossibilité, à une frustration vénéneuse qui suit l'illusion et rend la réalité, quand on la retrouve, insupportable. Ce bâtiment devant nous, comme une grange, est devenu une frontière neutre et il faut se dépêcher maintenant de retrouver derrière ses murs une froideur cynique, une réplique à notre sensibilité pernicieuse de tout à l'heure. Nous sommes des prisonniers, nous avons besoin des murs et de leurs limites.

Un maton salue quand nous le saluons. Le

chariot entre dans une pénombre de citadelle où une armée de gardes aux trognes d'assassins fatigués mâchent le riz du déjeuner. Nous traversons cette longue poterne au toit de tôle, cloisonnée par des murs sans fenêtres. L'espace, dans cette éclipse, sent la décomposition. Les matons mastiquent et ne viennent pas nous ouvrir la deuxième porte. L'un d'eux nous gueule de la faire coulisser nous-mêmes. Il écoute sa voix qui résonne, engloutit une bouchée de riz.

Il est lourd, ce panneau d'acier que nous tirons sur son rail pour ensuite le refermer dans le vacarme de ses galets mal graissés. La route continue, droit devant, vers un carré d'arbres et encore d'autres champs uniformes, mais ce n'est pas notre direction. Une pancarte nous indique déjà notre destination, sur la droite, le building 6.

Le dan 6 incarne, en cette période trouble de l'agitation vietnamienne aux frontières, la paranoïa aiguë du peuple thaï face aux communistes. Univers surréaliste, le 6 réunit dans son esprit toutes les phobies tordues du monde asiatique. De vocation paramilitaire, les énergies y sont mobilisées pour défendre la liberté, la justice, et les autres condiments qui font les bons plats qu'à Lardyao on ne goûte jamais.

Des junkies affamés et surtout prisonniers pour défendre la liberté, il fallait y penser !

Comme une poupée russe qu'on ouvre pour trouver à l'intérieur une autre poupée, à ouvrir pour en trouver une autre, la section 6, prison

185

dans la prison de Lardyao, contenait dans son enceinte une autre prison déguisée en caserne qui voulait se donner des airs de liberté. Nous ne sommes pourtant que devant la porte mais nous le flairons déjà : finie, la pesanteur désœuvrante du reste du camp.

Passée la fouille d'introduction, et excepté le doigt dans le cul, nous aurions presque l'impression d'être d'autres hommes car les matons et la tunique bleue qui contrôlent l'accès du purgatoire ont des égards pour nous.

Dans leur discours de sergents recruteurs, ils s'adressent à nous comme si nous n'étions pas des merdes mais de dignes frères de combat. A les écouter, on a l'impression d'avoir été soigneusement sélectionnés par Vichit pour faire partie de la belle race des taulards du building 6. Nous sommes costauds, nous avons de belles têtes, nous allons nous révéler à nous-mêmes dans ce building, etc. Comme s'il fallait nous convaincre, comme si nous avions le choix, la faculté de refuser notre affectation. Les trois plantons s'exaltent, quand ils nous parlent de « liberté à travers l'exercice physique », de « la vertu transcendantale du souffle » et nos jambes commencent à trembler. Alors ils concluent par la symphonie de la saine et délicieuse nourriture du réfectoire. A ces mots, nous sommes prêts à tomber à genoux pour les supplier de nous ouvrir leurs portes lumineuses. Mais elles ne s'ouvrent pas, il faut attendre une heure de l'après-midi pour être introduits. « La patience est une épreuve et l'épreuve enrichit l'homme », dit la tunique bleue en cherchant du regard notre approbation. On s'empresse de hocher énergiquement la tête pour le rassurer.

On s'impatiente quand même, on voudrait maintenant savoir ce qu'il y a derrière ce putain de portail. On ne s'assoit pas sur l'herbe qui borde le chemin car on devine que ce serait une offense. Alors, par flagornerie et pour se détendre, on fait les cent pas, bras dans le dos en prenant une allure martiale pour faire plaisir aux matons. Un officier qui était sorti déjeuner, rentre au building, nous nous cassons en deux. Ce n'est pas comme ça qu'il faut faire. La tunique bleue, avec un sourire indulgent, se redresse, claque ses paumes sur ses cuisses dans un garde-à-vous parfait : c'est comme ça qu'il faut faire. On s'entraîne jusqu'au prochain garde. Garde-à-vous. Notre mentor est fier de nous. Derrière les murs on vient d'entendre une cloche, il est une heure. La tunique bleue donne un grand coup contre la porte, un visage se montre au guichet, une petite entrée découpée dans un des battants métalliques s'ouvre en silence. Nous prenons nos bardas, nous nous baissons un peu pour passer dans l'ouverture qui se referme derrière nous.

Nous sommes au milieu des fleurs rouges, jaunes, blanches, violettes. Jusqu'aux bâtiments, tout est flamboyant de couleurs. Sur une vingtaine de mètres, de chaque côté d'une petite porte étroite, des petites corolles, des milliers de fleurettes fragiles qui ressemblent à celles, électriques, qu'on utilise en Europe pour faire clignoter les arbres de Noël. Nous ne pouvons réprimer un mouvement de ravissement...

Derrière ses fleurs, le numéro 6 est formé de

quatre longs bâtiments à un étage, vert-de-gris, délimitant les angles d'un vaste terrain vague où l'herbe usée végète en retrait sur les côtés. L'ambiance est morne. Les couleurs partout sont neutres, dosées, discrètes, comme par mimétisme de ce qui est vertueux, apostolique. Les lignes sont régulières, de symétries et de proportions toutes faites d'équilibre. Infrastructure de la rigueur saine qui convient aux œuvres sociales.

Nous passerons ici des semaines aussi quadrillées qu'une feuille de température...

A six heures trente le matin, la cérémonie du rapport réunit autour d'elle les occupants des lieux. En même temps que le soleil, on hisse le drapeau en s'écoutant chanter l'hymne national. Quand c'est fini, un coup de sifflet sert de détonateur à ce nouveau jour et les groupes se détachent, puis rapidement se répandent comme une flaque. Aussitôt, toute la surface vaguement herbeuse est prise d'une agitation de souffles et de cœurs chaotiques.

Des voix hurlent, des jambes accélèrent, se rejoignent, s'agglutinent, se confondent. Dans une anarchie bien ordonnée, des groupes se forment, se déforment quand ils s'élancent autour des bâtiments en levant les genoux comme des majorettes. D'autres groupes, étendus sur le sol au centre du terre-plein, frénétiquement se tricotent en l'air des abdominaux avec les pointes de leurs pieds. Trois coups de sifflet arrêtent tous les mouvements, redressent tous les corps. Trois coups de gueule : il est huit heures. Alors, la multitude des jambes s'affaire pour réintégrer la place de tout à l'heure, en quatre tas essoufflés, autour du drapeau. L'immobilité encore faite de respirations saccadées, de nez morveux qui reniflent, de poumons qui s'efforcent de ne pas cracher, devient alors silence. Les haut-parleurs cachés dans les arbres se mettent à grésiller avant de s'enrober de sucre pour caresser un autre hymne national. Silence encore, chargé d'attention celui-là, puis une voix qui fouette.

A partir de ce moment-là et jusqu'à trois heures de l'après-midi, au rythme des coups de sifflet, les milliers de prisonniers du building 6 se partagent le terrain pour s'adonner au culte de la guerre. Les sections bien structurées, par centaines défilent au pas, entonnent des hymnes guerriers d'une voix mâle, claquent du talon, s'arrêtent. Garde-à-vous, coups de sifflet. Reformez les rangs ! et on recommence... Des journées entières.

Les matons, généraux improvisés, observent la parade. Les gardes bleus, en face d'eux, agitent les bras, tournent comme des derviches, se retournent, virevoltent autour des rangs, tendent le fil à plomb qu'ils ont dans l'œil pour aligner les têtes, donnent un autre coup de sifflet, dressent le doigt, orchestrent les mouvements.

Un autre groupe, accroupi plus loin, suit avec intérêt un cours de guérilla. En face d'eux, l'instructeur, un colonel de l'armée arrêté pour meurtre, sa casquette d'officier, qu'on lui a permis de garder pour faire plus vrai, bien calée sur sa tête afin de ne pas perdre son autorité, après chaque démonstration gueule : « COMPRIS ? » Et tous répondent · « COMPRIS ! » Il est satisfait.

Sur ce champ de manœuvre, les bataillons, sections, commandos miment la guerre contre les rouges, rampent sur les coudes, tassés au sol sous le tir des mitrailleuses invisibles, se redressent, lancent un pied en avant, se catapultent à l'assaut des obstacles d'un véritable parcours de combattant.

Tout ça, nous ne serons pas longs à l'apprendre. Mais, pour le premier jour, il semble que nous soyons exemptés de la poussière du terrain. Après nous avoir fait déposer nos couvertures devant l'entrée du bâtiment le plus proche, notre tunique bleue s'en va au pas de course pour nous faire tâter de l'œil les muscles de ses mollets.

La fureur guerrière a drainé, d'un coup de sifflet, tout ce qui pouvait bouger dans la section pour l'exercice. Alentour, les buildings désertés sont pris de torpeur. Il fait horriblement chaud, le soleil a l'air congestionné, en proie à une fièvre malarieuse. Le ciel a une couleur bleu pâle, presque blanche, qui ressemble au vide, accentue l'agitation qui règne ici-bas et donne aux mouvements l'exclusivité de notre attention.

Nous nous sommes réfugiés contre le bâtiment mais le lacet d'ombre qu'il nous dessine par terre est encore chaud de ce matin. L'humeur belliqueuse des combattants monte et démonte ses décors en face de nous. Les yeux sont rouges, les torses nus luisent de sueur sous les coups de sifflet insistants. Demain nous ne pourrons jamais supporter un tel régime ! Même sans tenir compte du manque qui commence à nous étouffer, nous sommes trop faibles, trop usés, trop maigres. On se force à l'ironie pour ne pas se laisser abatttre. « Demain on passe à l'essoreuse ! »

La première nuit dans la chambre où on nous a parqués avec huit autres Thaïs est longue, mais nous avons si bien appris à nous abstraire du temps qu'elle passe aussi vite que toutes les autres nuits. A l'aube, nous nous réveillons en sursaut, surpris, quand le coup de sifflet de la prière résonne, d'avoir dormi alors que nous avions cru veiller. Les muscles sont noués, les articulations raides, la tête empesée, mais rien à voir avec la violence des autres crises de manque que nous avons connues.

Les Thaïs récitent leur litanie monocorde. Le silence retombe brutalement. C'est terminé. Alors, la petite hémorroïde qu'est notre chef de chambre nous désigne pour la corvée du matin. Nous protestons, le kapo cherche du regard un appui autour de lui mais les autres pensionnaires ne veulent pas le lui donner. Le plus costaud fait : « *Maï lou lien*[1] » et se lève pour rouler sa couverture. Le kapo hésite, nous désigne deux jours de suite pour la semaine prochaine. Nous approuvons, la journée est commencée...

Rapport, échauffement physique, re-rapport et instruction militaire. Le malaise du réveil s'est développé. A dix heures, nous sommes sur les genoux quand la tunique bleue responsable de notre groupe nous envoie affronter le parcours du combattant.

Courir, sauter par-dessus des cordes tendues

---

[1] *Maï lou lien* : laisse tomber.

par des piquets, courir ; ramper sous d'autres cordes pas tendues sans les toucher, courir, éviter les cailloux qu'un autre groupe lance sur nous, courir en faisant des slaloms entre des poteaux plantés, courir, sauter à cloche-pied sur un échiquier de pierres au milieu d'une rivière imaginaire, courir, s'élancer contre un arbre pour l'escalader et aussitôt sauter à terre, courir jusqu'à l'arrivée. Nos jambes ne nous soutiennent plus, nous achevons le parcours tous les quatre, en évitant le saut de l'arbre, la bouche pleine de bile, le cœur prêt à se rompre.

Résultat de cette matinée : un avertissement et un blâme.

C'est assez pour une sanction. Avec une centaine de Thaïs punis, nous sommes alors évacués par trois cerbères en bleu, dans un coin libre afin d'y subir ce qui est un supplice pour nos corps épuisés. Hagards, brûlants d'adrénaline, en manque, malades à crever, le cœur battant à deux cents pulsations minute, claquant des dents sous le soleil éclatant, dans un état semi-comateux, au rythme toujours plus rapide des coups de sifflet, il nous faut effectuer pendant six heures toute une série d'exercices interminables. J'ai cru que tout à la fois mes poumons allaient éclater, mes os craquer, mes vaisseaux péter, ma tête exploser. Pendant une suite de tractions, les boyaux déchirés par la diarrhée, secoué de spasmes, le souffle bloqué, mon cœur tiraillé par une chute vertigineuse, je me suis écroulé, la face dans mon vomi, inconscient.

Une décharge électrique m'a réveillé. Quelqu'un m'avait balancé un seau d'eau. Je ne voulais pas ouvrir les yeux, ils se sont ouverts malgré moi. Ébloui, comme sous acide, j'ai été surpris de voir André, un de mes comparses, je m'attendais à voir un maton et j'ai dû ravaler le « tire-toi » que je m'apprêtais à marmonner. Le terrain autour de moi avait quelque chose de triste, de déroutant, il n'était pourtant que calme. Uniquement lui et moi sur sa surface, insolites comme les survivants d'un cataclysme. J'entendais des voix aiguës loin derrière moi. André semblait avoir deux énormes trous à la place des yeux. Ses traits avaient une rigidité glaciale, morbide. Il gardait la bouche ouverte, sans respirer. « Ça va mieux ? » Sa voix avait un ton neutre, sans intonations. « T'as pas de métha ? »

Pourquoi il me posait cette question ? Est-ce qu'il en voulait ou est-ce qu'il m'en proposait ? J'ai avalé les deux comprimés qu'il me tendait en me demandant si c'était de la méthadone. J'avais froid. Je savais seulement que j'avais froid.

— Y' a plus personne ?

Je devais être resté un long moment inconscient. Peut-être une heure.

— Brian est à l'hosto. Y s'est déboîté un bras J' sais pas ce qu'il a, ça a l'air sérieux... Michel, lui, a flippé. Il a piqué une crise d'épilepsie. Il se roulait par terre en hurlant, puis il s'est levé il bavait... Y délirait complètement, il est parti chez le vice-building-chief. Les matons lui ont sauté dessus pour lui casser la tête et ils l'ont emmené j' sais pas où.. Les Thaïs sont partis bouffer Bande d'enculés !

Je me suis assis Les reins me faisaient mal et j'avais de plus en plus froid ; André s'est accroupi à côté de moi. Nous sommes restés comme ça, au milieu de la solitude, en tirant machinalement sur une cigarette mouillée, le regard arrêté par une motte de terre. Au bout d'une demi-heure, mon souffle se libère, mes membres se réchauffent. Deux méthadones, c'est tellement peu ! Pourtant je ressens le bienfait de ces deux comprimés, le cauchemar physique se dissipe progressivement et je me lève, engourdi mais solide.

Nous décidons d'aller rejoindre les autres. Mes jambes sont encore lourdes, je ne les maîtrise pas bien mais je suis sûr de moi. Nous allons en direction des voix que nous avons entendues tout à l'heure. Derrière le bâtiment qui fait face au nôtre, ils sont tous là, dans un grand hangar ouvert qui sert de réfectoire. Il y a même des tables. Ils ont tous fini de manger et nous regardent venir. L'un d'eux nous tend son assiette : « *Kin kao*[1] ? »

Mais nous n'avons pas le cœur à manger. Sans même le savoir, nous cherchons le colonel à casquette. Il est au fond du réfectoire, à table avec trois tuniques bleues aux gueules semblablement boutonneuses, trois frères rongés par l'acné.

Le colonel veut bien nous écouter. En Thaïlande, être écouté par un supérieur, c'est déjà une victoire. On se dit que sous sa casquette, il semble moins putain qu'il n'en a l'air. On lui explique notre état de santé, et il a une grimace dégoûtée au mot héroïne. Ça fait rigoler les trois bovins en bleu. Un rire gras, gluant de complaisance. Le colonel réfléchit pour donner un poids, une assise

---

1. *Kin kao ?* : Tu veux manger du riz ?

à ce qu'il va dire et il promet : à une heure, il va parler au building-chief... On l'aurait bien embrassé !

Le colonel a tenu sa parole. Vers une heure et demie, un maton, sans explications, est venu nous chercher pour rejoindre Michel, un œil enflé, pissant toujours du nez, qui nous attend, accroupi, devant notre bâtiment. Il est fier de lui. Avoir bluffé les matons en jouant l'épileptique quitte à prendre quelques coups, c'est une performance. Nous avons pourtant d'autres préoccupations que de le féliciter, nous sommes plutôt intéressés par le futur immédiat. Lui coupant la parole, André demande :

— Dis donc, le kamikaze, tu sais pourquoi on est ici ?

Michel se lève en se frottant le dos au mur, prend un air effondré, laisse attendre sa réponse pour créer un vrai suspense et surtout nous exaspérer. Il se passe la main dans les cheveux, et enchaîne dès qu'il sent notre nervosité :

— J'ai vu le colon à casquette, celui qui donne des cours de terrorisme. Ils nous foutent en chaînes tous les trois ensemble. Le building-chief nous donne trois jours pour aller mieux. Pour le moment, on attend un garde bleu qui doit nous emmener chez le ferrailleur.

Je n'en crois pas mes oreilles : trois jours de repos ! Tout juste si j'avais espéré un après-midi. Les chaînes, on en a tellement l'habitude ! On se tape dans les mains vite fait pour fêter ça.

Comme prévu, nous resterons toute la fin de la semaine sans rien foutre. Mais interdit de s'asseoir. Nous devons marcher toute la journée. Un pas à la seconde, lever en même temps trois jambes et les reposer cinquante centimètres plus loin en arpentant la section. Les Thaïs s'amusent à voir passer la monstruosité à trois corps que nous formons. Nous, on s'amuse de les voir crapahuter sous les coups de sifflet. Nous prenons soin d'éviter sur notre route le colon, des fois qu'il nous réclamerait un pourboire pour le service rendu. Tout est tellement vénal en prison que nous avons du mal à croire qu'il ait pu agir par un noble sentiment. Avec sa casquette et sa gueule de ténébreux burinée par le soleil, c'est le seul qui paraisse avoir de la personnalité au building 6, mais en Thaïlande, les apparences étant faites pour tromper, on se méfie. Quand on l'aperçoit, on ne peut s'empêcher d'hésiter un instant avant de se carapater le moins bruyamment possible, bien que les chaînes s'y prêtent mal.

Notre emploi du temps est bien rempli. Ça nous prend une heure le matin, après le rapport auquel nous assistons, pour progresser jusqu'au réfectoire où, merveille des merveilles parmi les merveilles, si on arrive assez tôt — c'est pour ça qu'on part tout de suite après le rapport — vers onze heures, les Thaïs de la cuisine vendent pour vingt baths des sachets de bouffe. Nous avons tellement faim que nous nous ruinons en riz frit à l'œuf.

Le kapsoun que nous avions shooté lors de la dernière semaine au building 4 n'avait entraîné qu'une journée de dur sevrage, nous en étions déjà au stade de la compensation boulimique. Nous achetions chaque matin une dizaine de sachets, avant de nous glisser en douce derrière le réfectoire où les matons ne nous voyaient pas nous asseoir dans l'herbe... Avec la satisfaction d'être les plus malins parmi les malins et que « les-autres-sont-tous-des-cons-pas-vrai-les-mecs », on ouvrait nos sachets en rigolant pour les engloutir en parodiant des porcs dans leur auge. Le riz liquidé, on faisait un peu durer la sensation d'avoir bien baisé les matons, puis, on sortait encore plus discrètement de notre repère. Pas vus, pas pris !...

Après, on traînait vers le terrain de manœuvre avec des mines affligées, pour bien montrer notre malheur, puis, en retournant vers le réfectoire, on devenait play-boys pour plaire aux *katoïs* qui faisaient leurs provisions. Là-dessus, on les raccompagnait à leur bâtiment, situé à l'autre extrémité du champ de manœuvre, en flânant laborieusement, cling-cling-cling, sous le regard envieux des sportifs.

Les katoïs sont des transsexuels. A Lardyao, ils vivaient au building 6, en marge de la société carcérale, partageant leur bâtiment avec les « fous ». En Thaïlande, les malades mentaux, qu'ils aient commis ou non une infraction, sont considérés comme des nuisances et sont emprisonnés, souvent à vie, ainsi que les aveugles-unijambistes, les aveugles tout court et toutes les autres « incongruités » qui ne peuvent subvenir à leurs besoins en travaillant. Les hôpitaux publics n'existant pas, tous ces aléas de la nature qui, conformément à la tradition, avaient toujours vécu au sein de la population, sont depuis une dizaine d'années dirigés, par mesure de salubrité publique, vers les prisons. Ils gâteraient le paysage aux touristes.

En ce qui concerne les prostitués-transsexuels, la plupart opérés, ils sont enfermés, eux aussi, dans les prisons masculines. A Lardyao, il y avait une centaine de ces personnages, devenus de véritables femmes toutes sémillantes. Certaines fort belles, d'autres moins.

Dans ce bâtiment marginal de la section 6 où elles étaient détenues, elles vivaient sous le contrôle médical d'un ancien médecin militaire, tombé en disgrâce pour une raison inconnue. Il leur faisait leur injection d'hormones et, surtout, essayait sur elles les nouveaux produits des usines allemandes. On ne voyait jamais que la silhouette furtive de ce docteur de la transmutation. Les mains dans les poches, la tête rentrée dans les épaules comme pour cacher une ignominie, derrière ses lunettes il apparaissait parfois à la porte de son service. Pour nous, il évoquait une espèce de savant fou du genre Mengele.

Quoi qu'il en soit, les transsexuelles vivaient très bien, dans le luxe d'un bordel de grande classe. Echappant à l'oppression quotidienne de la prison, elles étaient exemptées de corvées, n'étaient pas battues, bénéficiaient des honneurs mâles et passaient leur temps à des œuvres ménagères, artistiques et, surtout, cosmétiques. Toujours très excitées, elles accomplissaient en groupe, tous les matins à partir de neuf heures, leur petite promenade langoureuse vers le réfectoire, scintillantes de soies, roulant savamment de la hanche, les seins en avant pour bien montrer qu'elles en avaient, et distribuaient alentour, en

198

clignotant des cils, d'interminables sourires. En Thaïlande, peut-être parce qu'elle participe de l'exotisme, la transsexualité est tout à fait banalisée. Paradoxalement, l'homosexualité est moins tolérée. A Bangkok où le nombre des katoïs est énorme, la moitié des sensuelles hôtesses du célèbre Grace Hotel, où débarquent les charters d'Occidentaux bandards, sont des transsexuelles et bon nombre de Blancs seraient surpris d'apprendre que la *puying*[1] qu'ils « fréquentent » depuis six mois est en réalité un homme.

Si l'homosexualité « normale » est tolérée à l'extérieur, en prison, plus qu'une indignité, c'est un délit. A la section 2 où j'avais passé une semaine en observation à mon arrivée à Lardyao, les types ayant eu des rapports sexuels entre eux étaient impitoyablement traînés le matin devant le bureau du building-chief et sommés, sous le cercle des matraques, devant une foule en liesse, de reproduire leurs ébats... Et selon l'humeur matinale du building-chief, après la performance, ils étaient bastonnés et souvent enchaînés.

Les katoïs, elles, ont une sexualité plus sereine Considérées comme des femmes à part entière, elles ne sont pas opprimées, au contraire. Maquées avec un garde, elles se prostituent pour un paquet de cigarettes. A une époque, d'ailleurs, elles avaient pris l'habitude de venir goûter du farang à la section 4. Il était de bon ton, pour elles, d'avoir un amant aux yeux clairs dont elles étaient jalousement propriétaires. C'était parfait.

1. *Puying* : congaï, concubine.

Et le dimanche matin, on les attendait... Parfois elles apportaient à bouffer.

Les trois jours de chaînes s'étaient donc écoulés au milieu des papillons. Le quatrième jour, nous nous sommes vite éclipsés, cling-cling, dès l'ouverture des portes, vers le building des katoïs pour nous baigner une dernière fois dans leur affection maternelle. Pour cela, nous avons fui le rapport auquel nous étions tenus d'assister. Un garde bleu, lancé à notre recherche, nous a interceptés et comme un chasseur de primes, nous a ramenés, en nous poussant devant lui. Le rapport était déjà terminé, les Thaïs accomplissaient leur gymnastique, nous redoutions une sanction...

Le building-chief n'était pas encore arrivé, son assistant se croisait les bras au bord du terrain. La tunique bleue nous dépasse, fonce sur lui et s'arrête dans un impeccable garde-à-vous ; nous en faisons autant derrière lui, mais moins bien. Le sous-chef ne nous voit pas, il regarde plus loin, au travers de nous. Doucement, la tunique bleue demande une instruction ou un verdict pour notre faute. Pas de réponse. Le sous-chef ne nous entend pas plus qu'il ne nous voit. Nous restons une ou deux minutes attentifs à notre garde qui réfléchit à ce qu'il doit faire, quand un coup de sifflet nous délivre. Alors le sous-chef, mollement, bouge les lèvres pour laisser tomber à nos pieds un mot qui ressemble à « *païle* » (allez-vous-en)... De nouveau, il ne nous voit plus. Ensemble, nous tournons la tête vers la tunique bleue qui espère visiblement une précision. Décontenancé, il nous montre du doigt notre building, devant lequel nous devons l'attendre Et il part au galop demander une

200

sanction moins sibylline à un autre maton. Nous l'avons vu revenir, dépité. Pas de punition.

Les chaînes nous seraient enlevées, nous allions chez le ferrailleur pour inaugurer une machine de son invention, diabolique par son archaïsme. D'une lourde plaque de béton posée sur le sol sortait un croc d'acier et un axe sur lequel était fixé un levier, terminé par un autre croc.

Tous les trois nous nous sommes assis, jambes tendues, pour accrocher l'anneau qui enserre nos chevilles aux deux crocs. Le « mécanicien » vérifie le matériel une dernière fois. Comme s'il allait accomplir quelque rite magique, il lève les bras vers les cieux en hurlant avant de se suspendre à son levier pour y faire pression. Alors, fascinés, nous voyons les mâchoires qui enfermaient nos chevilles se desserrer lentement en même temps que l'officiant se congestionne sous l'effort. Jambe après jambe, sans défaillir, le maître des chaînes se suspend à sa barre et nous sommes libérés les uns des autres. Pas plus ; car nous avons compris, en le voyant prendre son marteau, que nous conserverons nos chaînes individuelles. C'est ça, la sanction que nous avons méritée ce matin, pour avoir manqué le rapport.

Aussitôt réintroduits dans la mêlée guerrière, il s'avéra que nous n'étions pas de bonnes recrues. Un peu par paresse, sûrement par mépris, les matons avaient décidé de se borner, pour nous, à une éducation élémentaire qui consistait à nous faire marcher au pas du matin au soir en chantant des hymnes. Piétiner toute la journée n'était toutefois pas aussi éprouvant, pour nos organes convalescents, que la haute voltige du parcours du combattant, et somme toute, l'existence au building 6 est devenue presque agréable. Alors que les Thaïs clamaient, au pas, leurs refrains, nous, prétendant ne pas parler leur langue, devions entonner des « la-la-la ». Au lieu de ça, nous improvisions des chansons paillardes plus débiles les unes que les autres... On s'amusait comme des petits fous.

Le dimanche était jour off. On se faisait beaux afin d'aller rendre visite aux katoïs qui organisaient des shows dansants pour leurs intimes. L'après-midi, elles préparaient des agapes... Des matons leur avaient livré des canards et autres volatiles qu'elles cuisinaient amoureusement. Une fois, elles ont mijoté une surprise à notre intention : du rat à la broche, au lait concentré sucré Mali : 50 % lait de vache, 50 % lait de coco...

Les assiettes en aluminium devant nous, nous nous installons sur l'herbe, à l'abri du soleil et des intrus, derrière le bâtiment où elles logent. La section est déserte, les fanatiques du coup de sifflet sont sortis en groupe de la section pour un match de football contre les « verts » du building 2. L'atmosphère de la prison est faite de ce lourd mélange solennel d'ennui, de linge propre et d'honorabilité, qui accable tous les dimanches de tous les calendriers de tous les pays. Cette ambiance que sécrètent les jours fériés, où tout semble vain, nous l'avions aussi à Lardyao, un peu plus vide, un peu plus terne peut-être qu'à l'extérieur, mais c'étaient les mêmes dimanches.

Noï — la plus petite de nos trois amies, elle semble avoir quinze ans tant elle est menue —

sort du bâtiment, portant un plateau brûlant, le pose sur l'herbe et retourne en chercher un autre, dégoulinant de sauce, qu'elle laisse sur le rebord extérieur d'une fenêtre. A l'intérieur du plat, baigne ce qui semble être un lapin laqué. « C'est un lapin sauvage », confirme Tiu, la plus vulgaire, couverte de rimmel.

Au goût, c'est du lièvre bien sûr, et nous l'engloutissons, puis nous suçons les os pour ne rien laisser. Alors, elles se lèvent, applaudissent en se moquant — croyons-nous — de notre appétit vorace. C'est une manière d'hommage qui nous flatte et nous rions avec elles jusqu'à ce que Noï nous explique, en pouffant, que nous venons de manger un rat dodu. Nous n'y croyons pas, faut pas nous prendre pour des cons : ça n'est pas du rat, les katoïs plaisantent. Nous nous regardons pour consulter nos mines réciproques : non, c'est du lièvre, un peu dur, mais du lièvre quand même, c'est certain... Alors elles sortent victorieusement la fourrure grisonnante : c'est bien du rat !

Elles voulaient nous prendre en flagrant délit d'occidentalisme, croyant que nous allions vomir la bête et perdre la face. Surmontant le réflexe de dégoût, nous avons dû reconnaître que le rat était délicieux : le goût et la consistance du lièvre, vraiment.

Je savais qu'en Thaïlande, la chair du rat est une nourriture précieuse et que dans certains restaurants spécialisés, les prix pour un rôti de rat sont extrêmement élevés. Un an auparavant, un Thaï de Bumbud, qui élevait six de ces bestioles dans un cageot, m'affirmait avec des airs de gourmet que leur viande était délicate... J'étais

203

sceptique. Pourtant, je m'étais promis d'en goûter au moins un morceau quand l'occasion se présenterait, je ne voulais pas manquer une telle initiation avant ma libération. Cependant, à chaque fois, j'avais été trop écœuré ; je ne pouvais même pas le voir consommer. Aujourd'hui, après l'aveu des katoïs et malgré ma répulsion à posteriori, je regrettais de ne pas avoir essayé plus tôt.

Certains dimanches, les prisonniers organisaient des combats de thaï-boxing, une sorte de boxe française avec les pieds, les poings, les genoux et les coudes.

Les adversaires, sans se regarder une seule fois, au milieu du ring de cordes qu'on venait de tendre autour de quatre poteaux, suivaient tout d'abord une chorégraphie d'une lenteur solennelle. Le public était silencieux, recueilli, immobile. Interminable rite des salutations entre les combattants, danse symbolique, prélude aux rencontres de boxe thaïlandaise, première phase du combat pendant laquelle les belligérants se conditionnent, les yeux fixés au-dedans d'eux-mêmes, pour puiser l'agressivité, la rage qu'ils contiennent. La fièvre commence à leur brûler la poitrine. Ils deviennent pâles, semblent ivres, puis tombent à genoux, la tête contre le sol, se relèvent brusquement, rejoignent vite leur coin respectif pour s'y accrocher. Alors, au coup de gong, en transe, ils bondissent l'un sur l'autre, comme s'ils avaient attendu leur vie entière ce moment et frappent en même temps de tous leurs membres : des coudes, des genoux, des poings, jusqu'à ce que l'un d'eux s'écroule inanimé, sanglant. Généralement, sous les cris surexcités des supporters mimant chaque coup donné par leur vedette, esquivant les ripostes de l'adversaire, l'affrontement ne dure pas plus de cinq minutes. Le vainqueur, épuisé, sans même profiter de sa gloire, quitte le ring, déjà oublié par la foule. Deux prisonniers tirent par les pieds le corps du vaincu pour débarrasser l'arène. A peine le ménage fait, deux autres figurants passent les cordes pour la danse avant la prochaine joute.

Ces combats, où l'hémoglobine coulait abondamment, avaient quelque chose de religieux, sorte d'immolation dont le ring était l'autel. Il n'y avait rien de sportif dans ces rixes sacrificielles, où seul comptait le paroxysme de hargne qui se déchargeait ; on voyait clairement la violence contenue derrière la sérénité disciplinée des Asiatiques se libérer chez les participants par le biais d'une extase collective de coups.

C'était extraordinaire de voir l'intensité d'énergie que ces petits corps pouvaient emmagasiner et expulser comme une bombe, comme ça, en un dixième de seconde, au son lourd d'un gong. Les nuits qui suivaient ces exutoires rituels étaient d'un calme profond, vidées de toutes tensions, elles touchaient à la plénitude.

Le lundi, la routine reprenait son flux. On crapahutait, montant en vagues à l'assaut des Viets...

Notre mois de rééducation se terminait. Nous étions dans une telle forme physique, « décrochés », resplendissants, que la perspective de retourner à la section 4 pour retrouver cette salope d'héroïne nous angoissait. Deux jours avant ce que nous savions être la fin de notre séjour au 6, nous avons fait une requête écrite au vice-commandant pour rester dans ce building. Elle a été refusée et le jour même, nous avons été réexpédiés au numéro 4. Retour aux enfers...

Le schéma de la 4 était revenu à la normale, semblable à ce que nous avions connu. Un mois s'était écoulé depuis la paranoïa aiguë de Vichit, et il semblait que son insatiable cupidité avait eu le temps d'étouffer la peur que lui inspirait la police. Il n'était désormais plus question pour lui, en ce qui concernait la dope, de ce surprenant puritanisme qu'on lui avait connu lors de notre départ au 6.

Prudent néanmoins, le building-chief rentrait de moins grosses quantités et vendait à un prix prohibitif ; le tout en bloc, au plus offrant. En l'occurrence, son client exclusif était Antonio, un jeune néo-nazi italien qui affichait une croix gammée autour de son cou. Pâle blondinet aux cheveux bouclés, à l'instar des statues romaines équivoques, promenant avec arrogance son pedigree situé au niveau des fesses, sous la cambrure, Antonio appelait, par sa démarche, la sodomisation. Malheureusement pour ceux qui le convoitaient, le building-chief et l'ambassade italienne veillaient sur son intégrité corporelle... Antonio était protégé.

Arrêté à l'aéroport, avec un kilo d'héroïne dans ses bagages, il était venu en mission en Thaïlande afin de renflouer, par ce moyen, la caisse de l'organisation d'extrême droite à laquelle il appartenait. Peu après son arrestation, son père,

206

sénateur romain, était décédé lui laissant une fortune importante que le digne fiston dilapidait en smack, ou plutôt en unités de pouvoir car la dope qu'il achetait servait surtout son narcissisme. Il avait réuni, autour de ce qu'il appelait son aura, toute une caste de courtisans qui lui échangeaient la poudre qu'il daignait leur lâcher contre des gerbes de flatteries parfumées.

Sa mégalomanie médiocre allait même jusqu'à le rendre généreux pour ses nombreux ennemis — ceux qui auraient aimé le souiller. Il consentait à leur vendre, au prix coûtant, une partie du butin que Vichit lui livrait.

Un jour, le petit règne d'Antonio a cessé. Ses courtisans se sont écroulés, déchirés de désespoir. Antonio venait d'obtenir l'exceptionnelle grâce royale, il a été libéré...

A mon retour au 4, Vichit fit enlever mes chaînes, contre ma promesse de travailler et, plus tard, si je le voulais, de payer pour être exempté de travail... Il aurait suffi que je fasse semblant, mais j'étais résolu à me donner à l'ouvrage pour préserver ma forme physique et parallèlement, ne pas toucher à la dope (pas trop en tout cas...), car dans six mois, je serais libéré.

Le job créatif consistait à creuser une fosse pour y enterrer les ordures ménagères. Comme il n'y avait pratiquement rien à bouffer, donc peu d'ordures ménagères, Vichit a changé d'avis et décidé de faire du trou une mare à poissons. Et nous avons dû transporter de la terre, à la manière des fourmis, dans un panier de bambou posé sur la tête, pour aller la vider en face du garage où Vichit ferait un potager. Généreux, il nous promettait même des tomates de la première récolte !

Le travail était aussi pénible qu'interminable. Nous étions une dizaine à marcher des kilomètres par jour sous un soleil suffocant. Vu le peu de terre que finalement nous déménagions, nous en avions encore pour des mois. Après quelques semaines de ce traitement, je me suis mis à déserter le chantier chaque fois que Vichit disparaissait, jusqu'à ce que fatalement je raccroche et redevienne l'ombre que j'avais été, celle qui se découpait sur les murs de Lardyao, que la dope avait précisée, shoot après shoot. Cette ombre était ma seule référence, je n'avais plus d'autre image de moi et j'ai de nouveau refusé de payer. J'ai dû retrouver mes chaînes pour un autre tour de manège.

Des trombes d'eau nous ont un jour réveillés. Bangkok était inondée. Nous étions menacés. Nous avons dû construire une digue de boue autour du bâtiment pour nous protéger de l'eau qui s'infiltrait sous la double enceinte et commençait à envahir la section. Il y avait longtemps qu'on s'était résigné à ce que les murs de la prison ne s'écroulent pas mais, tout en malaxant la boue, on s'attendait quand même à ce que l'eau creuse un tunnel à leur base. En vain bien sûr.

Ce déluge était un événement qui accélérait le temps, et ce temps, je le sentais maintenant glisser sous moi comme un tapis roulant. La saison des pluies était notre repère. Les années se comptaient par rapport à elle et quand celle-ci serait terminée, je serais libre. La mousson était la seule période qui ressemblait à une saison. Pas de printemps, pas d'été, pas d'automne, pas d'hiver en Thaïlande, rien qu'une longue bande de chaleur ennuyeuse sur laquelle venait se greffer une excroissance d'eau et de boue, d'une régularité inouïe ; à la même date tous les ans, l'eau se déverse comme d'un seau géant, et laisse un marécage immense. Et puis, sur le même scénario que l'année précédente, ainsi que dans un livre d'images, le soleil frimeur réapparaît derrière le mur de nuages. Le même soleil, un peu plus fringant, insolent, qui semble vouloir dire : « Alors, les caves, qu'est-ce que vous préférez, moi ou elle ? »

Pourtant, cette année, la mousson s'annonçait différente. Après deux mois de pluie, un beau matin, nous nous sommes rendu compte que les plastiques que nous avions accrochés aux barreaux pour nous éviter d'être trempés avaient un air suspect. Il n'avait pas plu ! Entre leurs déchirures, on pouvait voir que le ciel s'était dégagé. Mais il y avait quelque chose d'autre, une impression nouvelle qu'on n'arrivait pas à cerner. Quelqu'un a dit : « Vous avez entendu ?! » En même temps, on a entendu des oiseaux qui piaillaient ! Aussi loin qu'on pouvait se souvenir, jamais aucun oiseau ne s'était installé à proximité du building. Plus que le plaisir et l'émotion de les entendre, nous avons eu le sentiment que la malédiction qui pesait sur nous s'était évaporée.

Les jours qui ont suivi nous ont confirmé dans cette idée que quelque chose de nouveau avait germé pendant les pluies. Nous n'avions pas vu l'ambassade US depuis plus d'un an. Certains Américains réclamant son intervention avaient reçu des lettres polycopiées, dans lesquelles elle s'excusait d'avoir trop à faire avec les réfugiés. Ensuite, plus rien. On s'était mis à haïr ces pauvres réfugiés. Car les Français, pour leur sécurité, étaient tributaires de l'ambassade US La chancellerie française, à Bangkok, n'éprouvant que répulsion pour ses ressortissants emprisonnés, n'avait qu'une valeur symbolique et, chaque fois qu'une doléance était faite auprès de lui, notre consul, M. Façon, par l'intermédiaire de Mlle de Boisboissel (une femme généreuse, seule concernée par nos problèmes, mais secrétaire sans pouvoir), nous faisait transmettre ses félicitations sur cartes de visite, précisant que sa fonction ne l'autorisait pas à « s'ingérer dans les affaires intérieures de la Thaïlande ».

Un jour, pour démontrer aux matons que nous n'étions pas des orphelins, nous avons réclamé sa venue. Cette fois-là, nous lui avions demandé par écrit s'il attendait qu'il y ait un mort parmi nous avant d'intervenir. Il nous avait fait répondre qu'il avait effectivement beaucoup à faire avec les morts : encore ce matin, un Français, résidant en Thaïlande, était décédé et il lui fallait rapatrier le corps. Il était trop occupé avec les morts pour s'encombrer des vivants. L'ambassade française était une entreprise de pompes funèbres et elle s'occuperait de nous quand nous serions morts...

Néanmoins, nous recevions, à peu près tous les six mois, la visite d'une bénévole, Mme C., jeune personne toute dévouée à notre bien-être physique et moral, toujours accompagnée de deux ou trois copines vêtues de façon hippie pour l'occasion, en robe indienne de Bénarès, l'anneau à l'oreille, et cœtera. Chaque fois qu'on arrivait dans le couloir tapissé de grillage qui nous servait de parloir et qu'on les apercevait, on ne pouvait s'empêcher de sourire.

Elles arrivaient donc, une fois que nous étions entrés dans le parloir, C. en tête, puisque initiatrice et initiée. Elle nous présentait. Moi, elle me gardait pour la fin, je faisais figure de vedette. Je devais sûrement avoir la gueule d'un trafiquant d'héroïne un peu plus prononcée que les autres.

— Bonjour, bonjour, bonjour, bonjour...

Elle nous posait ensuite des questions pertinentes pour tâter le terrain. Puis, voyant qu'on n'était pas enthousiastes, elle prenait un air désolé pour dire qu' « il y avait beaucoup de circulation à Bangkok. Elle n'avait pas eu le temps de s'arrêter pour nous choisir quelques petites choses... ». Nous faisions aussitôt mine de repartir, navrés. Alors, elle allait elle-même ou elle envoyait une de ses copines acheter, devant la prison, des provisions : un paquet de cigarettes et un Coca par tête de pipe, et tout s'arrangeait.

Chaque fois, la comédie était la même. Elle essayait d'avoir du sordide à l'œil. Comme si on n'avait que ça à faire... Une fois les cigarettes dans nos poches et la paille du Coca dans la bouche, on était prêts à montrer du zèle. Pas avant ! Il fallait être intransigeant avec les gens du dehors, qui s'imaginaient qu'on avait tout à gagner et rien à perdre.

Après une heure de fausse indiscrétion, de lieux

communs, de témoignages bidons, pendant laquelle, la cigarette au coin des lèvres, on s'évertuait à être authentiques, le temps des visites était terminé. Sous le regard de nos gardiens devenus lubriques à la vue des femmes blanches, nos quatre amies s'en retournaient. Quel édifiant après-midi... Les trafiquants existent, nous les avons rencontrés.

On ressentait quand même un malaise en retournant au building.

Au début des années 80, alors que les représentations diplomatiques américaines brûlaient à travers le Moyen-Orient (Téhéran, Peshawar, etc.), une bombe avait été désamorcée à l'ambassade US de Bangkok. Pour bien montrer que les Américains tenaient encore debout, après une année d'absence, toute une délégation : secrétaire, gardes du corps (s'ils avaient pu, ils auraient fait appel à la Sixième Flotte et seraient alors arrivés par les klongs), a fait un jour une entrée triomphale dans la section.

Le consul US, la cinquantaine robuste, en jean et tennis, grand escogriffe buveur de bière, antithèse de la petite allure soignée du nôtre, fragile, a fait réunir tous les *foreigners*, sans distinction de nationalités, et il a passé trois heures à nous écouter. On s'est demandé si les Américains mouraient moins en Thaïlande que les Français, vu que notre M. Façon, lui, passait, son temps à rapatrier des cadavres et ne pouvait nous consacrer une heure.

Vers trois heures de l'après-midi, après maintes

212

promesses auxquelles par réflexe on ne voulait pas croire, les Américains sont repartis, nous assurant qu'ils formuleraient une plainte auprès du ministère thaï. Ils informeraient aussi le département US de la situation, afin d'accélérer les démarches en vue de l'échange de ses ressortissants contre des prisonniers thaïlandais, à l'étude depuis un an.

Le jeudi suivant, des prêtres catholiques américains, à la grande satisfaction de Kissinger, nous apportaient quatre-vingt-trois caisses de rations. Une caisse de douze repas hypervitaminés pour chacun de nous. Noël en janvier ! Dieu existe ! S'ils nous avaient apporté avec un contrat d'évangélisation, nous aurions tous signé. Puis la routine a repris le dessus.

Ensuite, un délégué US est régulièrement venu s'informer. L'échange des prisonniers était remis à l'ordre du jour et suivait son cours à travers des consultations bilatérales. Les taulards américains allaient partir. Ils étaient contents. Les autres faisaient la gueule. En effet, la présence d'Américains en prison nous garantissait une certaine sécurité. Les matons devant eux hésitaient à abuser de leur pouvoir et frappaient moins. Il n'y avait pas eu de mort depuis que la section 4 avait été créée. Bien que le consul US ait promis qu'après le départ des « boys », il continuerait à envoyer un observateur, nous étions pessimistes quant au futur. La fin de la présence dissuasive des « ricains » parmi nous aurait inévitablement des répercussions sur notre « niveau de vie ».

Quand les Français pensaient qu'ils n'allaient plus dépendre que de leur ambassade, ils avaient des envies de suicide. Ils avaient compris, voilà déjà deux ans, après la visite fugace de M. Façon, qu'ils devaient se résigner à ne pas trop espérer de lui. Bangkok était son premier poste de consul et je pense que cela ne devait pas être facile à vivre pour lui car il ne l'était qu'à titre temporaire. Il avait dû lui falloir un courage inouï pour que, si digne concrétion du Quai-d'Orsay, il quitte un matin ses locaux lambrissés pour venir jusqu'à nous, là, derrière la double grille des visites où il semblait durement souffrir de la promiscuité et de la chaleur. Les matons, par ailleurs, ne l'avaient pas ménagé. Ils l'avaient prévenu :

— Cinq minutes, pas plus !

Ils avaient dit ça avec arrogance, jouissant de donner impunément un tel ordre à un si haut fonctionnaire. Notre diplomate n'avait pas protesté alors qu'en sa qualité le droit international lui permettait de rester le temps qu'il désirait. Il avait hoché la tête timidement, avait consulté sa montre avant de bafouiller un remerciement. Je me souviens que nous étions tous sidérés par la scène. La visite avait duré cinq minutes, comme prescrit. Les matons chronométraient. Le consul épiait sa montre, posait entre-temps quelques questions :

— Qu'est-ce qu'on vous donne au petit déjeuner ?

On a eu du mal à lui expliquer que nous n'avions pas de petit déjeuner. Je suis sûr qu'il ne nous a pas crus. Il a regardé sa montre une dernière fois, a fait un sourire d'excuse aux matons et nous a tourné le dos. Nous nous étions sentis humiliés...

214

Derrière nos murs, nous avions suivi sa carrière. Nous avions pensé qu'il ne resterait pas en Thaïlande. L'Asie devait lui faire peur et lui donner des vertiges. Pourtant, il n'a pas demandé sa mutation. De consul à titre temporaire, il était devenu consul titulaire et nous imaginions sa petite vie entre les notes de service, les scellés de la valise diplomatique du vendredi, et les week-ends à Pattaya. Nous ne l'avions jamais revu depuis sa première apparition lamentable et, petit à petit, on avait fini par le mépriser.

A travers les rares messages, par cartes de visite, que nous recevions de lui, il semblait qu'il nous détestait. Sûrement nous tenait-il pour responsables de l'humiliation, de la chaleur, en un mot, du désagrément qu'il avait subi ici.

Pour ma part, les années étaient passées et je n'attendais plus grand-chose de quiconque. C'était mon privilège, j'avais presque terminé mon temps et j'éprouvais de la satisfaction à m'en être tiré seul. Je me sentais libre, du fait de ne devoir de gratitude à personne et le temps carcéral, gigantesque métronome, faisait maintenant irrémédiablement entendre son clic-clac, nuit-jour, nuit-jour, nuit-jour...

Mes six derniers mois de détention ont été, bien entendu, les plus longs. L'impatience... Maintenant, je ne dormais plus. Je devenais irritable, m'échafaudant un futur de bonheur standard, bien banal, pour être sûr de ne pas me leurrer. Il me fallait sans cesse me rassurer contre cette terrible appréhension du dehors qui ronge le taulard libérable. Je me sentais fragile. Je me sentais fragile devant toutes les questions qui me harcelaient sans que je puisse y répondre. Est-ce que j'avais changé ? J'avais lu quelque part, je m'en souvenais, que quatre-vingts pour cent des détenus retournent au moins une fois en prison. Effrayant ! Est-ce que je faisais partie de ces quatre-vingts pour cent ? Est-ce que je n'avais pas le choix ? Etait-ce inexorable ? Ces questions s'enchaînaient malgré moi. Retournerais-je en taule ? Devant de tels chiffres, je ne savais pas si, à l'extérieur, on se donnerait la peine de me laisser une chance. Prendraient-« ils » ce risque ?

J'en arrivais même à me demander parfois, dans cette confusion de sentiments, si ça valait la peine de sortir... Est-ce que les quatre-vingts pour cent retournent en prison parce qu'à l'extérieur ils n'ont plus de raison d'être ? Leur faut-il être en prison pour apprécier la liberté ? Est-ce qu'ils ne peuvent se passer de la prison ? Sont-ils définitivement mutilés ? Je croyais devenir fou !

En dernier recours, j'utilisais le doute pour contrer le doute : Cette angoisse qui me harcelait n'était-elle pas simplement la peur de gagner ?

Et, subitement, je me neutralisais, je ne pensais plus. Epuisé, j'attendais encore. La nuit, je faisais des statistiques, je calculais à quelle vitesse avait passé le temps au cours des trois dernières années. Je marquais une petite croix sur mon calendrier, je comptais les moutons pour être bien sûr (on compte les pattes et on divise par quatre)...

Le jour, fébrile, je me dédoublais, j'allais faire pisser mes chaînes, puis je les accompagnais à la promenade. Cinquante pas, on se retourne. Cinquante pas, on... Dans mes rêveries d'oxygène, je m'imaginais arrivant à Orly. Laure m'y attendait. Non, Laure ne saurait rien, je ne l'aurais pas prévenue de mon retour. Je prends un bus et après, le métro, c'est plus réaliste. Il pleut. Je longe les murs. Ça y est, je suis presque arrivé, voilà son immeuble. J'ai un peu froid, alors je monte les escaliers en courant. Je m'arrête à sa porte. Je frappe. Elle ouvre et WAOU ! Je suis la tornade blanche !...

Un autre jour, j'étais de nouveau anxieux. Cinquante mètres, cling, cling... Pour me rassurer, je me fais la causette : « Quand tu vas sortir d'ici, à force de trimbaler tes vingt kilos de ferraille, t'auras des mollets de cycliste... Putain, ça ne passe pas... Il faut que je me détende... Fais-toi un fix ! Non, il faut que je reste clean, c'est pour bientôt... Oh, animal, on est mal... » Les jours se traînent, anémiques.

J'entends un 747 décoller de Don Muang, l'aéroport voisin. Dans trois minutes, il va passer au-dessus de nos têtes. Pour la millionième fois, je me demande si les passagers peuvent nous voir. Si nous existons. Reconnaissant le sigle de la Lufthansa, je gueule à l'intention d'un des mecs avachis dans l'ombre du préau :

— Lufthansa, c'est quelle heure ?

— Onze heures, Francfort, dix-huit kilos ! (A son avis, dans cet avion dix-huit kilos de poudre viennent de partir pour Francfort.) Le type se réfère aux statistiques de la DEA publiés dans le *Bangkok Post*. Je lui gueule :

— Rien à foutre !

Et je repars : « Ces pauvres connards, ils s'en sortiront jamais. Ils vont passer leur vie en taule Il y a que la dope qui compte pour eux... Moi, je suis pas un con. Je suis libre... Je les méprise tous... » Et un peu plus tard, je vais me faire un fix.

Un jour, c'était le 20 mai, à mon réveil, je me suis demandé si c'était aujourd'hui ou alors demain. J'ai posé la question à mon voisin :

— C'est aujourd'hui que je sors ?

Il m'a répondu :

— Non, c'est demain !

J'étais rassuré, c'était bien aujourd'hui que j'étais libéré. J'ai fait un sourire béat au petit tchéco Le petit tchéco, l'autre moitié du gros tchéco, venait juste de racheter la place à côté de moi pour piquer la mienne, dès mon départ. Ma place, c'était la meilleure parce qu'elle était en coin, loin des chiottes, contre le mur mitoyen, qui protégeait de la pluie, et contre le grillage, qui laissait passer de l'air quand il faisait trop chaud. Mais son intérêt était surtout stratégique : la nuit, quand circulait de la dope d'un bout à l'autre du bâtiment, elle devait inévitablement passer là, accrochée à la ficelle qu'on avait tendue entre chaque cellule. Les nuits de manque, le locataire du coin pouvait toujours exiger la quote-part de l'intermédiaire...

Ça me gênait un peu de penser que les dix planches où j'avais vécu si longtemps appartiendraient au petit tchéco. Je trouvais ça pas moral.

Cet enfoiré l'avait achetée mais surtout, il ne me l'avait pas achetée à moi.

Cette place-là, normalement, était réservée aux anciens mais le tchéco, bien qu'il soit là depuis plus longtemps que moi, n'avait rien d'un ancien. Il était veule, le genre chétif qui se donnait des allures de dur à moustache pour compenser. Il parlait à peine anglais. Tellement con, qu'il mettait des cigarettes roulées dans un paquet de Marlboro vide pour bien affirmer qu'il était supérieurement américain. Pour lui, le nec plus ultra, à Lardyao, était de toujours avoir un paquet de « cigarettes du cow-boy buriné » dépassant de la poche.

D'y penser m'a donné envie de fumer. J'ai demandé une cigarette au tchéco, ça valait bien mon héritage. Il a sorti une cigarette roulée du paquet en s'excusant :

— Merde, j'ai plus de Marlboro...

C'était assez pour me dégoûter de l'ambiance. Je me suis levé en soufflant un nuage de fumée, j'ai enfilé un pantalon, une chemise... et je suis devenu un autre homme.

Près du trou des chiottes, Gottfried, un Allemand qui souffrait d'une décalcification des jambes, s'appuyait douloureusement sur sa vieille béquille rafistolée pour quitter la cellule. Il passait ses jours et ses nuits allongé sur une paillasse sans couvertures, j'ai balancé les miennes au milieu de son bout de parquet. J'ai fusillé le tchéco du regard pour qu'il ait la décence de ne pas les lui faucher, sournois comme il l'était, et d'attendre ce soir pour prendre possession de ma place. Il a eu l'air d'avoir compris, il y avait un semblant de respect dans son regard. Je me suis dit que j'étais vraiment un mec bien et je suis sorti.

Dans le couloir, j'ai croisé Kissinger et ses anges qui froufroutaient au-dessus de sa tête, ils avaient l'air fatigués. Ils rentraient chez eux. J'avais pas envie de les voir. Les souvenirs m'envahissaient, j'étais presque nostalgique... Trois ans et j'allais m'en aller !

J'ai descendu les escaliers, décontracté, en faisant gaffe de ne pas montrer d'émotion ou d'impatience, le rituel le voulait, en roulant un peu de la caisse pour laisser un bon souvenir... Je savais qu'on me regardait, je me suis senti presque coupable de partir. J'étais embarrassé et quand le maton du greffe est arrivé, j'ai vite bâclé la tournée des poignées de main. On a tous fait semblant de ne pas être émus en se refilant nos adresses respectives, fausses, mais personne ne s'y trompait. Je suis parti comme Humphrey Bogart, sans me retourner.

Après les formalités de levée d'écrou, quelques questions sur mon curriculum vitae, pour comparer avec mon dossier, des fois que je serais pas le bon, j'ai signé. J'étais libre... Enfin, presque. Derrière la porte blindée qui s'est ouverte, deux flics m'attendaient pour m'escorter jusqu'aux bureaux de l'immigration. J'avais récupéré mon vieux sac de voyage. Un peu plus vieux, amaigri lui aussi, tout flasque et ne contenant plus que les quelques chiffons dédaignés par les matons. Mais il avait un poids, et j'avais un tel plaisir à le porter sur l'épaule, par sa bandoulière...

Une jeep bâchée stationnait à quelques mètres. Les deux flics se sont concertés : devaient-ils ou ne devaient-ils pas m'enfiler les menottes ? C'étaient deux vieux crocodiles aux dents jaunes, serrés dans un uniforme recousu qu'ils devaient porter depuis des années, du temps où ils étaient jeunes. Toujours deuxième classe, deux vieux garçons complices qui me faisaient leur show. En fin de compte, j'ai eu droit à une faveur : pas de menottes. Celui qui ne devait pas savoir conduire est monté avec moi à l'arrière et la jeep a démarré.

Je n'avais pas de cigarettes, lui en avait, ce sont donc les siennes qu'on a fumées. La jeep roulait vite, sursautait chaque fois qu'on passait sur un nid-de-poule. Mon vieux voisin, les yeux mi-clos, ne parlait pas. Les rues défilaient. Agrippé au banc métallique qui vibrait avec moi, je me disais qu'encore une fois je m'étais trompé en pensant que cette libération aurait des airs de fanfare. Ce n'était pas le « grand flash » comme on le croyait à Lardyao...

Je ne ressentais rien. Pas d'exaltation, pas de crainte, je ne faisais que regarder les voitures.

C'était une petite police-sation de transit où deux prévenus endimanchés attendaient la visite de leur femme derrière les barreaux. Des joueurs de cartes arrêtés hier.

Quand un flic fœtus avec un visage pas encore bien dessiné m'a ouvert la grille, j'ai marqué une réticence avant de pénétrer dans la cellule. Il m'a souri, m'a expliqué que demain on me conduirait aux bureaux de la CSD [1], où on me rendrait mon passeport. Maintenant j'étais là, allongé par terre. Les visites étaient terminées, les femmes étaient parties, les deux joueurs de cartes dormaient. Il faisait presque nuit, je me sentais bien. Lardyao était déjà loin, je pensais à demain. J'avais assez de fric pour mon billet Aeroflot, avec escale à Moscou. Quel temps pouvait-il bien faire à Moscou ? Dans deux jours je serais à Paris.

Le lendemain, comme prévu, on m'a sorti de la cellule. Un flic en civil, penché sur le guidon de sa moto Honda, moi à l'arrière, m'a conduit aux bureaux de la CSD. A un feu rouge, j'ai failli sauter et m'enfuir. Réaction stupide puisque j'allais chercher mon passeport, mon identité. Peut-être même que Mlle de Boisboissel m'achètera mon billet d'avion aujourd'hui. Peut-être même qu'elle me trouvera un vol sans escale et que je serai à Paris demain matin. A la CSD, je vais demander aux flics l'autorisation de téléphoner à l'ambassade...

J'ai reconnu de loin le bâtiment où j'avais passé ma première semaine de détention. Il était plus impressionnant vu d'ici, avec sa touffe d'antennes sur le toit. Un gros hérisson. Quand nous nous sommes arrêtés devant lui, j'ai eu la sensation légère d'un type qui rentre au pays, riche et célèbre, après des années d'exil. Il n'y avait pas de sentinelle présentant les armes sous le porche

---

1. *CSD* : Crime Suppression Division

d'accès, j'en éprouvai une petite frustration, la copie n'était pas tout à fait conforme.

Le flic qui m'avait accompagné avait déplié la béquille de sa moto. Elle était cassée mais il essayait patiemment de trouver un point d'équilibre alors qu'il aurait aussi bien fait de l'adosser au mur du bâtiment. Il était penché sur le réservoir et son pied cherchait à trouver l'aplomb. En même temps que je le regardais, je me souvenais de mon arrivée ici, il y a trois ans. Dans ma tête, les images et l'impression de fatalité que j'avais eue en passant sous le porche restaient précises. Je me retrouvais au point de départ et, plus je suivais les traces de ma mémoire, plus mon passé se découpait en séquences qui s'égaraient, devenaient anachroniques. Tout à coup Lardyao me semblait loin et pourtant j'étais en train de vivre trois ans en arrière. Souvenirs oubliés depuis longtemps qui réapparaissaient à ma conscience et dont je ne savais plus, à force de détails, s'ils étaient vrais ou imaginaires. Sensation de déjà vu qui n'en était pas une, comme si mon esprit ne savait plus éprouver le présent et retournait, machine à écrire bloquée, sur la même ligne déjà écrite.

Pourtant, je me sentais en sécurité, je n'éprouvais aucune appréhension. Je jonglais malgré moi avec le temps, je jouais au bonneteau avec ma propre vie. Je tirais de cet exercice, plus que de la liberté, le pouvoir de rester immobile, de ne pas me sentir concerné.

Le flic, au bout de trois minutes, a fini par se résigner. La moto ne voulait pas se soutenir toute seule. Il avait des cheveux longs, pour un flic.

Quand il s'est redressé, une mèche lui tombait sur le visage, en diagonale. Il souriait aussi à la manière des Thaïs quand ils éprouvent de la gêne : les lèvres retroussées par-dessus les dents en une caricature de sourire. Cela appelait une réaction de ma part. En Thaïlande, il y a tout un savoir-vivre codifié dont il faut respecter les rites, sous peine de blesser et de se faire des ennemis. J'ai humblement répondu par un autre sourire. Statu quo. Délicatement, le flic a amené sa moto contre le mur gris.

Il s'est recoiffé devant son rétroviseur tout en m'observant. Il faisait les gros yeux, m'indiquant d'un mouvement de menton l'entrée du bâtiment ; sûrement que les super-flics de la CSD ne devaient pas apprécier son foisonnement capillaire. Puis, subitement pris d'impatience, se souvenant peut-être de sa mission, rentrant prestement son peigne dans la poche arrière de son jean, il m'a donné une tape sur le bras. Il était temps d'y aller.

On a escaladé rapidement les escaliers. L'intérieur des lieux était désert. Ça n'était plus le même endroit. Les murs semblaient avoir été repeints. Je me souvenais d'une police-station plus austère. Au deuxième étage, une machine à écrire a eu un sursaut, je l'ai entendue frapper quelques lettres quand nous sommes passés. A l'étage au-dessus, les escaliers débouchaient sur le bureau de Kulachat mais nous l'avons évité en tournant à droite. Passant devant moi, le flic m'a précédé dans un couloir terminé par une porte vitrée. Cul-de-sac. Mon guide a frappé trois coups timides avant d'ouvrir un peu et de passer sa tête dans l'entrebâillement. Après un échange de quelques mots, il a ouvert la porte tout à fait, en aboyant « farang » d'une voix autoritaire pour m'impressionner.

Il y avait deux flics à l'intérieur, outre le capitaine assis à son bureau. Le crâne dégarni sur le devant, il devait avoir plus de la cinquantaine. Il a enlevé ses lunettes :

— *Are you Lerco ?*

— *Yes.*

Il a joint ses deux mains devant son front pour m'apprendre d'une voix lente et contenue que les accusations du maton Wichaï avaient été retenues contre moi.

J'ai eu du mal à comprendre de quoi il parlait. Et puis c'est revenu, brutalement. De nouveau, le temps me jouait un tour. J'étais là, à Mahachaï, devant la gueule mafflue de Wichaï, cette ordure, qui me surprenait avec une shooteuse à la main (alors que lui-même vendait certainement de la dope) : « ça sera cent dollars ou la chambre noire... » ; mon refus de payer... Ainsi les trois mois de dark-room n'avaient servi à rien ! Il fallait que je sois de nouveau inculpé.

La révolte a surgi en moi, me coupant le souffle, et mon corps n'a pas suivi. L'un des flics qui était déjà dans le bureau à mon arrivée s'est glissé derrière moi. Il m'a doucement pris par les cheveux. J'avais l'habitude ; je n'ai pas résisté. Indifférent, j'ai tendu mes poignets quand l'autre poulet a sorti les menottes de leur étui. J'étais de nouveau taulard et je me suis maudit de ne pas avoir sauté de la moto quand j'en avais eu l'idée. Je devais être pâle. Le capitaine m'a tendu une

cigarette que j'ai refusée. Il essayait de me ras
surer :

— Tu n'as pas signé le rapport du garde. Avec
un peu d'argent, je suis sûr que tu obtiendras un
non-lieu...

Combien de temps avant cet autre jugement...
Pour mon premier cas j'avais dû attendre si
longtemps ! J'imaginais mal devoir passer un an
et demi de plus en taule...

Le capitaine a sorti une bouteille de mékong et
deux verres en carton de l'armoire métallique qui
bouchait à moitié la fenêtre derrière lui. Il n'en
restait qu'un fond, juste assez pour un demi-
gobelet qu'il m'a tendu. C'était brûlant, pas particulièrement bon. Le capitaine a enlevé ses lunettes, les a posées sur la table. Il avait des yeux
précis, habitués à classer aussitôt.

— *Do you like poncao*[1] ?

C'était une affirmation plus qu'une question.
J'étais sur le point de dire oui, machinalement,
mais déjà, il s'était levé pour sortir, sans attendre
ma réponse. Je savais où il allait. Je l'imaginais
entrant dans cette pièce tabou, commune à toutes
les polices-stations thaïlandaises, où est stockée,
dans une armoire cadenassée, au milieu des dossiers, la poudre saisie. Quelques minutes plus
tard, j'ai entendu le bruit de ses chaussures
ferrées. Je devinais avant de le voir ce qu'il se
préparait à me tendre : de la révolte en poudre, le
souffle que, tout à l'heure, je n'avais pas pu
trouver, une solution, toujours la même, à l'agression de l'insupportable. Je ne connaissais plus

1. *Poncao :* héroïne.

226

d'autre issue. Gommer, nullifier, expulser le désespoir par un acte de violence, un hurlement intérieur, un shoot. J'étais impatient tout à coup. Le capitaine m'offrit un morceau de papier journal plié. Il me tendait la main pour m'aider à réintégrer la ronde, l'éternelle danse macabre où gardes et prisonniers se tiennent pour former le cercle qui les lie depuis toujours. J'étais défait. J'aurais voulu refuser mais c'était plus fort que moi, déjà obsédé par la poudre qui attendait dans ce bout de papier. Je n'avais plus la faculté du choix. Le capitaine, j'en étais certain, croyait bien faire... Il a posé une question au seul flic resté dans le bureau :

— Veux-tu l'emmener en bas ?

Le flic m'a fait signe de le suivre, le capitaine m'a tendu la main, désolé pour les menottes :

— *Good luck !*

Le flic et moi sommes descendus au rez-de-chaussée. Je me sentais bien maintenant, plus libre peut-être, avec ce paquet de poudre dans ma main que je tenais mi-ouverte pour éviter que sa moiteur ne l'humidifie, que si j'avais eu un billet d'avion pour Paris.

Nous sommes entrés dans une sorte de cave, un dépotoir où étaient amoncelés quelques bagages poussiéreux, des chaises cassées, deux roues de bicyclette, des cartons débordant de papiers dactylographiés. Sur le sol de terre battue il y avait une bouteille d'eau minérale Polaris à moitié vide, son bouchon à côté d'elle. Sur le bord de l'unique fenêtre, éborgnée par une plaque de bois, un bocal de confiture dans lequel je voyais quatre ou cinq shooteuses. Je me suis demandé combien de flics de ce commissariat étaient héroïnomanes.

Le flic cherchait dans sa poche des clés pour m'enlever les menottes. Il les a ensuite glissées derrière son ceinturon. Puis il s'est assis, après avoir enlevé la poussière, sur une des caisses en carton. Ostentatoirement absent, il s'est allumé une cigarette.

A l'intérieur de mon sachet en papier, il y avait au moins un demi-gramme, de quoi faire cinq ou six bons fix étant donné que, la dernière semaine à Lardyao, j'avais sensiblement réduit ma consommation. Je devais être prudent, mon seuil de tolérance avait baissé et un dixième de ce paquet devait me suffire. Je me suis agenouillé par terre, sur une feuille de papier pour ne pas salir mon pantalon de toile beige. J'ai amené le bouchon de la bouteille devant moi, mes mains tremblaient, je respirais vite, je sentais contre mes tempes le battement de mon sang. J'ai jeté un coup d'œil au flic. Il ramassait par terre une feuille de papier dactylographiée pour la lire. J'essayais d'imaginer, vue de sa position, la scène que je représentais et j'en éprouvais de la tristesse, de la commisération pour moi-même. Je me sentais pris dans un piège, seul. J'avais tout à coup envie de jeter la seringue, de rompre le fil de cette histoire mais, en même temps, je vidais la poudre dans la capsule de métal. Je voyais l'héro se dissoudre puis faire une pâte jaunâtre. La capsule était encore humide, quelqu'un avait dû l'utiliser récemment. Qui était-ce ? J'avais froid et j'étais dégoûté, par cette pâte et par moi-même. Afin d'échapper à cette impression, je me suis dépêché de pomper l'eau de la bouteille à l'aide d'une seringue. Ça y est. C'est prêt. Tout est dissous, il ne reste aucun rebut dans le fond du bouchon. De la dope de premier ordre, pas besoin de filtrer avec un coton. Dans le papier journal, il n'en reste qu'un petit peu. Je me demande si j'en ai fait tomber par terre. Alors, je pense au capitaine là-haut dans son bureau... Il a été sympa avec moi. Ouais, vraiment un type bien. J'avais rempli ma shooteuse et j'ai évacué les bulles d'air qu'elle contenait avant de faire perler au bout de l'aiguille la goutte symbolique. Tout de même, je me disais, je suis fou de shooter autant. Est-ce que je cherchais l'overdose ? J'ai eu peur en y pensant. Est-ce que j'avais envie de me suicider ? C'était comme si je recevais une gifle, j'ai eu un instant de lucidité, un soupçon, en pensant de nouveau au capitaine. Pourquoi m'avait-il donné cette dope ? Pourquoi autant ? Espérait-il que je m'overdose ? J'étais certain maintenant qu'on me tendait un piège. Ou alors, est-ce que je devenais paranoïaque ? Je croisai le regard du maton qui m'observait. Il semblait attendre. Attendre quoi ?...

Alors j'ai appuyé sur le piston de la shooteuse, la vidant aux trois quarts contre la planche de la fenêtre. J'éprouvais de l'orgueil en écoutant le jet picorer le panneau de bois. Je n'avais pas de garrot mais l'aiguille paraissait neuve alors j'ai serré mon avant-bras entre mes cuisses pour shooter dans ma main. Il ne restait même pas un demi cc dans la seringue mais c'était du concentré. J'ai injecté doucement le liquide. En même temps que son goût dans ma gorge, je l'ai senti monter à mon cœur, lui donner un sursaut, une sensation d'orgasme avant qu'il n'enveloppe chaque fibre de mon corps.

Une semaine plus tard, on me présentait à la cour puis on m'écrouait de nouveau au centre médical de détention, à Bumbud Prisaï.

Bumbud était inchangé. J'avais l'impression de ne jamais l'avoir quitté. J'y retrouvai des têtes connues, des types qui attendaient toujours leur condamnation, éternellement différée...

Il y avait beaucoup plus d'étrangers qu'à mon premier séjour, des petits cas, en majorité, qui espéraient sortir bientôt...

Pourtant, le chef du gouvernement venait de promulguer une loi draconienne : au-dessus de vingt grammes, l'échelle des peines allait désormais de vingt à cent ans de prison. Ici, personne ne semblait être au courant de cette nouvelle législation sur les stupéfiants et, pour moi, c'était mieux car l'ambiance de colonie de vacances insouciante de Bumbud me guérissait de la résignation morbide qui pourrissait Lardyao. Ici, les gens étaient vivants, pleins d'assurance, gonflés d'illusions qu'ils prenaient pour de l'espoir. Ils avaient encore le droit d'imaginer le soir proche où ils entendraient venir dans le couloir le trousseau de clés qui ouvrirait la porte de leur cellule.

Pour moi, Bumbud n'était plus tout à fait une prison mais un parking, à peu de distance de la liberté dont je pouvais distinguer la silhouette. Je me suis laissé gagner par l'optimisme.

Le troisième jour, j'ai retrouvé des amis dont Singh le Malaisien. Par mesure disciplinaire (à

cause de l'histoire des baumes que j'ai racontée),
Singh avait quitté le building 4 de Lardyao afin
d'être isolé au building 2... Il y avait accompli sa
peine entièrement, était sorti, puis avait été de
nouveau repris et écroué ici. La malchance le
poursuivait, disait-il.

Je m'assis avec lui sur le petit mur construit
autour du bâtiment pour contenir l'eau des inon-
dations et il me raconta ses aventures. Il parlait
d'un Singh que je ne connaissais pas. Au building 2, après avoir été expulsé de chez les étrangers, comme il parlait bien le thaï et l'anglais, il
était devenu professeur de langues pour les gardes. Il bénéficiait ainsi d'un régime de faveur et
les jours avaient suivi les jours dans l'aisance
Jusqu'à ce qu'un de ses élèves, un cancre nommé
Sumsak, s'aperçoive qu'il manquait de l'argent
dans ses poches. Vu les longs doigts de Singh et
leur familiarité, il fut aussitôt suspecté ; puis, de
suspect, il devint inculpé. Finis les cours, fini le
petit bonheur, un deuxième garde l'accusait et a
décidé de le faire avouer. Bastonné toute une
matinée, Singh avait nié. Il savait que s'il parlait,
il était un homme mort... Après le déjeuner, le
doute avait fini par s'installer chez les gardes qui
s'étaient résignés à le jeter dans une cellule. Singh
ouvrait la bouche pour me montrer les dégâts. Il
ne lui restait plus que des gencives roses et
quelques molaires... Deux mois plus tard, il sortait de Lardyao avec l'argent volé dans l'estomac... Mais la guigne lui collait au corps. Une
semaine après sa libération, la veille de son retour
en Malaisie, la police avait fait irruption dans sa

chambre d'hôtel et trouvé deux grammes de smack.

Singh n'habitait pas le même building que moi. Je le voyais quelquefois le matin quand il réussissait à échapper à la surveillance des gardes. A vrai dire j'évitais Singh, il m'inquiétait, je le voyais dégradé, souillé, dépossédé de la chaleur et de la douceur qui émanaient de lui auparavant. Je le craignais ; pour moi, il était un miroir et j'avais peur en le regardant de reconnaître ma propre image, celle d'un type atrophié et malsain sous la peau duquel la prison avait inoculé ses virus.

Les semaines s'écoulaient rapidement. Derrière les murs, suivant le statut dans lequel on se trouve, le temps n'a pas la même consistance. Alors qu'avant la condamnation, les heures sont neutres, s'accrochent régulièrement les unes aux autres pour constituer des journées, après la condamnation, écrasé par l'irrévocable, le prisonnier passe dans une autre temporalité où les secondes sont faites d'une substance glaireuse, qui s'étire, colle aux gestes, englue l'esprit. La durée y est pesante, se compte et s'amalgame avec effort pour ressembler à un jour, mais ce n'en est pas un, seulement une unité de temps carcéral.

Les après-midi, je me promenais dans la taule. J'étais un vétéran, dans cette prison de transition où les conditions de vie étaient plus souples. Les matons me connaissaient et me laissaient une certaine liberté de mouvement. Parfois, dans la cacophonie des sections thaïs, j'entendais une voix qui m'appelait : « Mango ! Mango ! »

Je cherchais dans la foule une tête connue et

j'apercevais un ancien compère de Mahachaï.
Hilare, il venait vers moi en s'exclamant :

— *Mango yet ma ! Maï paï*[1] !

Je répondais :

— *New case !*

Un sourire jusqu'aux oreilles, il disait :

— *Pom same-same*[2] !

Et on était heureux de se retrouver, on se
souvenait de Mahachaï, on se racontait la chambre noire comme une bonne blague en débitant
des « *Yet ma !* » pour faire viril. Puis on se tapait
dans les mains pour montrer combien on était
heureux de se retrouver vivants...*Yet ma !...*

J'ai passé un mois à Bumbud, un séjour de
convalescence où je me préparais à la liberté. Il y
avait peu de poudre ici et de la bouffe à profu-
sion : une fois par semaine, un supermarché
venait livrer de la nourriture aux prix normaux de
l'extérieur.

J'avais fini par croire à l'éventualité de mon
départ. Dans les prisons thaïs, où jamais rien n'est
sûr, j'avais appris à me méfier de l'enthousiasme
factice des avocats mais cette fois, j'avais la
conviction intime d'un dénouement heureux.

Mon nouvel avocat était une femme, une Thaïlandaise d'une quarantaine d'années, que tout le
monde appelait Joséphine. Elle était du genre
boulet de canon, spécialisée dans les cas des petits
détenteurs d'héroïne, ne dépassant pas les dix
grammes. Elle avait l'allure qu'ont, aux colonies,
les orphelines élevées par les bonnes sœurs : une

---

1 Putain Mango ! T'es pas parti !
2. Moi c'est pareil.

allure catholique, une sorte de chaisière. Le corps râblé et musclé des Annamites, le visage épaté avec des pommettes lisses et saillantes de goldens, toujours dynamique et riante, elle « fonctionnait » à petits pas rapides et saccadés, qui la faisaient ressembler à un jouet mécanique. Epouse d'un lieutenant de la brigade anticorruption thaïlandaise, son mariage lui donnait un certain pouvoir de persuasion sur la police.

Par l'intermédiaire de Joséphine, les flics m'avaient proposé un marché. Pour la somme de mille cinq cents dollars, étant donné que la DEA n'avait pas eu connaissance de mon nouveau chef d'accusation et qu'eux-mêmes n'avaient pas de preuves formelles contre moi, ils étaient prêts à m'innocenter. En apprenant ça, afin d'aller plus vite et pour éviter la censure, j'ai remis une lettre à Joséphine dans laquelle je demandais à Laure de prendre contact avec mon frère et ma mère, afin qu'ils fassent l'impossible pour réunir la somme et me l'envoyer rapidement par télex à l'ambassade.

Je retrouvais l'identité ambiguë du prisonnier libérable, soulagé et pourtant anxieux. Comme un immeuble hypothéqué, je ne m'appartenais pas tout à fait. J'ai tenté, une fois de plus, puisque j'en avais la possibilité, de me désintoxiquer. C'était réalisable, ici, où les gens avaient d'autres exutoires que la poudre. Même si pratiquement tous les prisonniers en prenaient, je ne me sentais pas traqué par l'héroïne comme je l'avais été à Lardyao. Ce qui était normal à Lardyao, où le plus pénible, je crois, avait été le manque de communication entre les individus, était un cauchemar vu de Bumbud. L'anonymat était une nécessité là-bas, un système de défense qui impliquait la poudre. Dix-huit mois ! J'y avais passé dix-huit mois ! J'éprouvais de la terreur en imaginant que peut-être je pourrais y retourner. Je ne pouvais m'empêcher d'y penser.

Jean, un ancien de Mahachaï, m'avait aménagé un espace entre sa couchette et celle de Raphaël, un autre Français. La nuit, parfois jusqu'au matin, j'écoutais les nouveaux arrivés raconter leur histoire. J'étais mélancolique souvent, je ne savais plus rire... Quand on me demandait : « Et Lardyao ? », je ne savais pas quoi répondre.

Chaque soir, toute la cellule attendait le retour des prévenus partis à la cour, le camion qui ramenait les condamnés du jour et, surtout, les derniers arrêtés. Quand l'un d'eux se présentait à la porte que le maton ouvrait, on jouait aux devinettes : « Combien de grammes, celui-là ? » ou : « Combien de kilos ? »

Souvent, on connaissait déjà la réponse : quelqu'un l'avait entendue à la visite, un avocat en avait parlé.

Un soir, on a vu arriver un type d'une cinquantaine d'années, une dignité officielle masquant son visage, regard lointain, costume gris et cravate malgré le climat, la calvitie impeccable et, pour finir, un attaché-case noir à la main. Cette fois, on était désorienté ; personne ne s'est demandé combien de grammes. Il était plus de six heures et, pourtant, ce personnage ne pouvait être qu'un visiteur, un secrétaire d'ambassade ou quelqu'un du même genre. Sa prestance et son pantalon long étaient intacts, alors que les inculpés en sont amputés, par les ciseaux des matons, dès l'entrée en prison. Seuls les shorts sont autorisés.

La porte a été ouverte par un garde à deux étoiles et l' « étranger » est entré dans la cellule. Nous n'avons plus su que penser quand elle s'est refermée derrière lui et que le maton s'en est allé. Il restait debout, accroché à son attaché-case, présent, méfiant. De toutes les cellules, les regards convergeaient sur lui, interrogeaient. Il est resté peut-être une minute au même endroit, inspectant chaque visage, puis, ouvrant à peine la bouche, il a demandé en anglais si l'un de nous parlait italien. Les deux ritals de la cellule ont dit en même temps :

— *Si, io !*

Il est allé vers eux.

Je parle italien moi aussi et j'écoutais ce qu'il leur racontait. Pascuale — c'était son nom — avait été arrêté à l'aéroport avec six kilos dans ses bagages. Restaurateur romain en faillite, il était en possession d'un passeport diplomatique. La DEA, disait-il, l'accusait d'effectuer là son cinquième passage et ceci avec la complicité du consul d'Italie.

Pascuale s'était tu, baissait les yeux. Tout le monde dans la cellule essayait de comprendre ce qui s'était dit. Roberto et Pietro, les deux Italiens, semblaient perplexes. Ils ne voulaient pas en savoir plus. A quoi bon poser des questions indiscrètes au nouveau puisque, de toute manière, il ne dirait pas la vérité. Les deux Italiens se sont donc dépêchés de ménager près d'eux une place à Pascuale.

Quelques jours plus tard, on apprenait par Pietro que le consul d'Italie avait été mis aux arrêts.

Pascuale avait pour défenseur Me Putri qui, de notoriété publique, était un fervent collaborateur de la DEA. Quand il rentrait de visite, les bras chargés de provisions, Pascuale exultait. Très sûr de lui quant à sa libération prochaine, paternel, il distribuait alentour le contenu de ses paquets. Lui, il n'en aurait pas besoin. Il affirmait que s'il restait en prison, un énorme scandale allait éclater.

J'imaginais avec délices notre consul en prison au milieu de nous.

— Même les Américains allaient être éclaboussés, disait-il en s'emportant.

— Pascuale, tu vas nous venger! criait alors quelqu'un et nous, nous applaudissions...

Peu après que j'eus obtenu ma libération sous caution, Pascuale était relaxé. Personne n'en a plus entendu parler.

Le 2 juillet 1980, je me suis présenté au tribunal. Les flics avaient reçu sept cent cinquante dollars. Joséphine verserait l'autre moitié de ma rançon après ma mise en liberté définitive. Nous avions rendez-vous avec un juge dans une des salles du tribunal mais la salle était déserte. Mon avocate m'a invité à m'asseoir sur un banc, à droite d'une grosse table où s'empilaient, autour d'une paire de lunettes, trois dossiers à couverture jaune. La pièce, haute de plafond, éclairée par deux néons blancs, meublée seulement de cette table et de ce banc, m'a paru immense quand Joséphine m'y a abandonné :

— Je reviens.

Et elle est sortie.

Sous la porte à battants, je voyais des chaussures noires passer rapidement dans le couloir, en silence. Puis, tac, tac, tac... des pas approchaient, ils ne pouvaient que venir vers moi. En effet, un des battants s'est ouvert en couinant, un vieil homme est entré dans la pièce, il s'est dirigé droit vers la table, en même temps que, désynchronisé, le bruit des souliers est passé devant la porte. Le vieux bonhomme tout froissé a chaussé sur son nez les lunettes qui étaient sur la table, en toussant. Est-ce que c'était mon juge ? J'écoutais les pas qui s'éloignaient, tac, tac, tac... Il a ouvert le dossier du dessus de la pile de gauche, l'a feuilleté un instant, l'a laissé ouvert à la place où étaient les lunettes. Il a levé la tête en direction de la porte à battants juste une seconde, et elle s'est ouverte de nouveau. Joséphine est entrée, suivie d'un lieutenant de police. Elle s'est dirigée vers moi, lui vers le vieil homme. Personne n'a rien dit. J'ai su alors que ce vieil homme était mon juge. Il a tourné une page du dossier qu'il avait ouvert et y a donné un coup de tampon. J'étais libre !

Juste un coup de tampon et j'étais libre !...

Pourtant, je n'en étais pas encore tout à fait sûr. Une fois sortis du palais de justice, le lieutenant, Joséphine et moi, nous avons pris un taxi. La voiture a démarré, Joséphine a tiré une enveloppe de son sac. Le flic a fait stopper le taxi, il est descendu de la voiture, l'enveloppe à la main, sans un mot.

Cette fois, ça y était !...

Joséphine avait aussi sur elle mon billet d'avion. Nous allions à l'Immigration chercher mon passeport. A l'arrivée, nouvelle désillusion : les gratte-papier anémiques ne le retrouvent pas. « Il est ici, bien sûr, mais ils ont trop à faire dans l'immédiat pour mieux le chercher... » Ils veulent du fric ! Je m'énerve. Je n'ai pas de fric et j'en ai assez de faire de la balançoire : libre, libre, pas libre, pas libre, libre. Joséphine insiste pour voir leur chef. Les flics rigolent quand l'un d'eux sort des bureaux pour nous accompagner au deuxième étage. Dans les escaliers, Joséphine me souffle à l'oreille :

— Si le chef est un salaud, il va te garder jusqu'à ce que tu paies pour avoir ton passeport. Dans ce cas, pendant que je l'occuperai, sors du bureau, descends les escaliers sans précipitation et, sitôt dans la rue, saute dans le premier taxi. Prends une chambre au Swan Hotel, je t'y retrouverai plus tard.

Dans le bureau du chef, les choses se sont passées ainsi qu'on le redoutait. Un officier affable, l'uniforme aussi soigné que celui d'un amiral, une fine membrane de cheveux noire semblant dessinée au crayon gras et plaquée sur son crâne par un invisible courant d'air, s'est empressé de nous donner la poignée de main du chic type . Il voulait bien faire, il ne savait pas quoi faire, mais il allait faire son possible... Discrètement, je me suis éclipsé.

Vers cinq heures, mon avocate me retrouvait au Swan Hotel.

— Dans deux ou trois jours, je retournerai chercher ton passeport. Ils ne peuvent t'empêcher de partir. Quand ils seront sûrs que tu ne paieras pas, ils céderont. Dans le cas contraire, on trouvera un passeport pour cent dollars au marché noir...

J'étais hors de moi en écoutant Joséphine. Ces trois années que je venais d'accomplir n'étaient que le préambule à un autre châtiment bien plus sournois. Je subissais maintenant la punition d'avoir été prisonnier : après la privation de liberté, la privation d'identité. Moi qui avais cru que la fin de ma peine allait être une conclusion, une délivrance, je ne découvrais qu'une autre indignité. Et cette fois, j'étais seul à la vivre, je n'avais plus mes comparses de Lardyao.

Passant de la hargne à l'abattement, l'espoir m'échappait, il me trahissait. Les trois jours qui ont suivi, je les ai vécus entre les murs de ma chambre d'hôtel que je ne quittais qu'à la tombée de la nuit, comme un voleur, pour marcher durant des heures et des heures. J'avais peur de sortir le jour, peur qu'on me voie, peur qu'on voie la tare. J'avais honte aussi de ce qu'il restait de moi chaque fois que je m'apercevais dans la glace de ma salle de bains, pâle, maigre, malsain, le visage couvert de boutons, les jambes enflées, les chevilles croûteuses là où les chaînes avaient mordu, le cœur épuisé par la dope et la malnutrition. A Lardyao j'étais normal, nous étions tous comme ça. Ici, j'étais une monstruosité. Et les dents ! Je n'osais pas trop ouvrir la bouche de crainte qu'on ne les voie, celles de devant étaient tombées, il n'en restait que des chicots !

Je marchais. Il y avait bien longtemps que je n'avais pas autant utilisé mes jambes, j'en avais des crampes. L'idée d'un bon fix m'obsédait, j'essayais de l'éviter. J'étais épuisé et je continuais à marcher quand même pour me donner l'impression de la liberté...

Alors revenaient à mon esprit les statistiques, les quatre-vingts pour cent. Pourquoi retournaient-ils en prison ? Quelle question... Je comprenais, maintenant, pourquoi ils y retournaient. J'arrivais à le concevoir et à l'accepter. J'avais toujours plus envie de poudre mais je m'étais donné comme délai le troisième jour, celui où Joséphine devait revenir avec mon passeport. Ou bien j'aurais mon passeport et la dope c'était fini pour toujours, ou bien je me ferais un fix...

Le quatrième jour au matin, n'ayant pas de nouvelles de Joséphine, je suis parti en acheter, acheter ma tranquillité, mon renoncement. Chez le dealer, je suis même allé plus loin, j'ai acheté carrément trois onces avec mes derniers sous... Au cas où je reviendrais en France, je ne voulais pas être aux abois, je pensais me donner une chance de ne plus être demandeur...

Finalement, Joséphine a récupéré mon passeport. Mais il a fallu que je retourne à l'Immigration avec armes et bagages. On ne me donnerait mon visa de sortie qu'à la dernière minute. On m'a balancé dans une cellule jusqu'à 9 heures du soir. Mon vol était à 11 heures, un flic m'accompagnerait pour me coller dans l'avion...

A l'aéroport, l'aventure n'était pourtant pas terminée. Dans la file du *checking,* alors que mon flic en uniforme était allé boire un café, deux civils m'ont tapoté l'épaule, carte en main :

— *Is it your luggage ? Would you follow us, please ?*

Je les ai suivis dans un bureau qui ouvrait par une grande baie vitrée sur la salle d'attente de l'aéroport... J'ai aperçu mon petit flic qui me cherchait avec effroi... Il m'a vu à travers la vitre... Ouf ! Arrivé sur les chapeaux de roue, mon héros a expliqué aux deux civils qui j'étais... Ils ont rigolé et se sont excusés... Décidément...

Retour dans la file du checking. Au contrôle des passeports, on me fait entrer dans un bureau pour un autre coup de tampon.

Dans la pièce exiguë, un officier se fend la pêche en expliquant à deux touristes françaises qu'elles ne peuvent partir ce soir... Elles sont en *over stay* [1] depuis deux jours et vont devoir passer la nuit au poste de police, pour voir le juge demain matin... Les deux demoiselles ne comprennent rien à son anglais sommaire mâtiné de thaï. Ravi de leur ignorance, et fatigué de ricaner, il jette un coup d'œil oblique sur mon passeport. En plissant les yeux, complice, il me demande si je parle thaï.

— *Nit noï* (un peu).

Alors il éclate de rire et se met à offrir, à l'ex-prisonnier que je suis, d'être son interprète. Quand j'explique aux deux Françaises qu'elles

1. Leur visa n'était plus valable depuis deux jours.

vont devoir passer la nuit dans une cellule, elles paniquent... et le Thaï de rigoler...

J'ai débarqué à Paris avec elle, l'Héroïne de mon film, que j'avais retrouvée au Swan Hotel. Dans mon deal avec elle, c'est bien moi qui l'avais dans le cul.

Bien emballée. Quatre-vingts grammes exactement.

Et la pire des prisons, la paradoxale, celle de la dope, pour moi, continuait.

J'étais intoxiqué. Encéphale marqué au fer rouge. Et jamais plus libre.

Peut-être jamais plus...

Épilogue

Cet été-là était un été gris. La pluie alimentait la mélancolie qui coulait sur les murs de Paris. Nous habitions le dernier étage d'un vieil immeuble. Litanie morose des gouttes tièdes tombant sur le toit, leit-motiv qui étouffait les autres bruits, nous isolait. Leur répétition annulait nos volontés, suggérait que tout était pareil, que tout avait déjà été fait. C'était l'été 1980, un sale été.

Je venais de retrouver Laure à l'aéroport où elle m'attendait comme si, pendant trois ans, elle était restée debout, au milieu de la foule, sur la pointe des pieds, essayant de distinguer ma silhouette par-dessus les têtes.

Il n'y avait pas eu vraiment de surprise, seulement des « tu as changé ».

On s'est serré l'un contre l'autre, pas longtemps, parce qu'on voulait vite refaire connaissance. Ma mère et mon frère m'attendaient plus loin, on ne s'est pas tellement parlé. Je ressentais une pudeur entre nous, une manière d'éviter l'évidence . j'étais intoxiqué plus que jamais, et j'ai compris, en les voyant, qu'eux aussi émergeaient de trois ans d'enfermement.

Je commençais à découvrir l'existence sournoise d'une autre sorte de geôle, celle sans limites réelles, sans règles, marécageuse, dans laquelle sont confinées les familles des condamnés. Prison de la culpabilité, prison de la solitude. Prison mentale faite de la morale des autres, de leurs sentences perpétuelles. Prison bien plus perverse que les miennes, dans cet exil physique passé en Thaïlande où j'avais eu, au moins, la liberté de n'être plus ni responsable ni sensible : Mahachaï, Bumbud, Lardyao, je pouvais les percevoir, au-delà de leur ignominie, elles avaient un nom, elles étaient les séquences d'une aventure, d'une grande aventure... Et les quatre-vingts grammes pesaient, dans mon ventre, comme une nostalgie.

En voyant Laure j'ai deviné, à son teint, à son comportement, qu'elle n'avait pas touché à la dope depuis longtemps. Un poids nous contraignait, celui de la gêne, de la distance qui s'était installée entre nous et nous rendait différents

J'avais du mal à me réadapter à l'existence, à sa banalité. Sensation d'être dans la même vacance qu'à Montréal : dans une impasse, devant le même mur. Mais moi, je me trouvais usé, plus vieux de six ans avec l'héroïne pour seul ressort

Laure et moi sortions peu de l'appartement Petit à petit je l'associais à la névrose post-carcérale, que je créais en même temps que je voulais l'éviter par la poudre que j'absorbais

246

Egoïstement, j'éprouvais le besoin qu'elle en prenne afin que nous ne soyons plus des étrangers l'un pour l'autre, sinon la coexistence ne serait plus possible. Un jour, malgré ses réticences, elle a fini par faire un sniff. Quelque temps après elle laissait tomber son travail. J'étais heureux, satisfait. La voir consommer de l'héro rendait légitime mon état que pourtant je méprisais, comme si elle m'approuvait. Un pacte... Elle était devenue mon otage.

Nous nous retrouvions tous les deux dans la même relation où nous étions quand nous nous sommes quittés, mariés à nouveau dans la même dépendance. Peut-être était-ce une manière de renouer avec le temps d'avant l'arrestation... Nous avions le sentiment heureux d'aller à la dérive, au bout de nous-mêmes, mêlés dans la même idée romantique de faire partie d'un même corps.

Dehors, il pleuvait encore et chaque goutte d'eau était une raison de plus de rester chez nous.

Quatre-vingts grammes, c'était peu, vu les doses dont, à Lardyao, j'avais besoin, et en plus, nous étions deux. Je voyais la poudre diminuer et de plus en plus, l'inquiétude m'assaillait, la terreur même, quand je pensais que bientôt nous n'en aurions plus. Alors, aliénés par elle, nous avons commencé à nous épier, à faire attention que l'autre n'en consomme pas trop de manière à retarder le plus possible la minute de vérité. On gardait chaque fois le coton utilisé, « pour après »... On se détestait souvent, on se méfiait toujours, on volait parfois de la poudre pour aller se shooter la nuit quand l'autre dormait. Mesquineries, lamentables calculs qui nous laissaient du ressentiment. Histoires classiques de junkies.

Pour ma part, je refusai d'entrevoir le moment où il ne me resterait même plus les cotons à filtrer. J'avais peur de couper le cordon ombilical qui me reliait toujours au soleil de Lardyao. Je me savais veule, je me savais ignoble d'avoir entraîné Laure dans ce gouffre, et je me voyais faire sans pouvoir l'éviter.

Souvent, sans raison, au milieu de la nuit, on se rendait compte qu'on avait faim. Laure préparait un repas et me regardait manger, elle riait de me voir bien mâcher, comme on l'apprend aux enfants, méthodiquement, mais seulement d'un côté de la bouche parce que l'autre me faisait mal. Et moi, je me demandais pourquoi elle riait, est-ce qu'elle se moquait de moi ? Je mangeais avec une avidité animale puis, quand j'avais terminé la moitié de mon assiette, je m'arrêtais, évaluant ce qui restait pour le lendemain. Alors, Laure me regardait d'un air effaré : « Tu n'es pas en taule ici, tu n'as pas besoin d'en garder pour demain. » J'étais conscient de l'absurdité de la chose et pourtant je ne pouvais m'en empêcher. Jamais je n'ai réussi à terminer un plat, il fallait que j'en garde pour le jour suivant, sinon une espèce d'angoisse me prenait, comme lorsqu'on va se coucher en se demandant si on n'a pas oublié de fermer le gaz bien qu'on vienne juste de le faire.

Je comprenais que Lardyao avait laissé en moi une trace bien plus profonde que je ne voulais l'admettre. J'étais encore à Lardyao.

Un jour, il ne nous est plus resté que deux ou trois grammes. Nous n'avions plus d'autre perspective que d'aller faire un casse pour trouver de l'argent. Et, au prix de l'héro : 1 000 francs le gramme... Il faudrait aussi se remettre à dealer afin de supporter notre dépendance. Le chemin devant nous était tout tracé, nous le connaissions par cœur, avec, au bout, l'overdose ou la prison.

Paradoxalement, devant cette évidence et cette urgence, nous nous sommes sentis plus sûrs de nous. Il ne nous restait qu'une solution, celle de la décroche, alors que depuis mon retour à Paris je n'avais plus envisagé la possibilité de me désintoxiquer, je ne m'inquiétais plus que du manque... Laure m'exhortait : « En définitive, disait-elle, nous n'avons le choix qu'entre décrocher ou crever. » Décrocher semblait plus facile... Nous devions nous enfuir, nous isoler pour accomplir ce que nous ne pouvions pas faire ici, où il suffisait quasiment de descendre dans la rue pour trouver de la dope.

Nous irions en Irlande. Maintenant, il nous fallait de l'argent pour entreprendre notre « cure », pour le billet de train d'abord. Laure avait une chaîne stéréo, un appareil photo ; on pouvait les laisser en gage à un copain et lui emprunter l'argent des billets. Et en Irlande, comment allions-nous vivre ? On se débrouillerait. Voilà tout. Il avait suffi que nous formulions ce projet pour que je sois sûr de moi. Et cette fois-ci, ce serait fini pour de bon.

J'étais fier de cette décision comme si c'était moi qui l'avais prise. Aussitôt d'accord, Laure s'est précipitée sur le téléphone. Au bout de quelques secondes, j'ai vu son contentement s'effacer pendant qu'elle écoutait les mots qu'on lui disait. Elle pleurait quand elle a raccroché : les ferry-boats sur les côtes de la Manche étaient en grève depuis ce matin et ce, probablement, pour plusieurs jours. Le temps d'oublier notre résolution...

Je n'ai pas tout de suite réagi, peut-être étais-je même satisfait d'apprendre cette nouvelle. Laure m'a regardé, elle a enfilé sa veste pour sortir et a claqué la porte Depuis mon retour, nous ne nous étions pas quittés une heure. J'ai eu l'impression d'être dépouillé. Je ne comprenais pas bien ce qui se passait, j'ai pris le téléphone. Gare du Nord : les côtes de France sont fermées. « N'y avait-il aucun moyen de rejoindre l'Irlande ? » L'Irlande, je l'ai ressentie soudain comme quelque chose de beau. Un absolu. « Oui, il y avait bien un moyen : prendre le bateau à Ostende, en Belgique, et de là, rejoindre l'Angleterre et après, l'Irlande. » Un train pour Ostende partait à huit heures ce soir.

J'ai préparé une valise en y jetant un minimum de vêtements Nous avions quatre heures devant nous. Alors, j'ai attendu Laure. Elle est revenue vers six heures, elle ne croyait pas ce que je disais.. J'avais dû me tromper...

Nous sommes partis. Le train prenait de la vitesse et nous avions la sensation de nous en aller pour toujours. J'avais divisé notre dernier gramme de poudre en quatre parts. Deux parts pour tout de suite, et deux pour le voyage. Un petit fix chacun, il en restait si peu.

A Bruxelles, il faut attendre un autre train. Puis Ostende. Le voyage commence à paraître long. On n'a pas dormi et le manque vient. On a froid sur le quai d'embarquement. Le jour vient de se lever. Chacun évite de croiser le regard de l'autre afin qu'il ne s'aperçoive pas de son malaise et qu'ainsi, il n'amplifie le sien. Nous pensons à l'Angleterre car c'est à Londres que nous avons prévu de faire le dernier fix. C'est encore tellement loin !

Le ferry-boat. Arrivée sur les côtes anglaises puis, encore le train, interminable. Epuisé, les yeux rivés aux voies qui glissent derrière les vitres du wagon, j'essaie de tenter Laure avec une méthadone parce que je suis trop lâche pour en prendre moi-même, parce que je sais qu'elle va la refuser et que j'ai peur de ne pas en avoir assez pour les jours suivants. J'ai l'impression que jamais nous ne serons assez forts. Et si nous rentrions à Paris ? Non, on ne peut pas, c'est notre dernière chance. Et puis, on n'a même pas le courage de faire demi-tour. Tout est gris. On essaie à nouveau de dormir mais c'est peine perdue. Les vitres du wagon se couvrent de buée, on n'a plus la force de les essuyer pour voir dehors.

Quand le train arrive à Londres, nous ne nous apercevons de rien, trop las pour nous rendre compte de quoi que ce soit, trop mal en point pour nous lever. Londres est un peu comme Paris, sombre. Plus personne autour de nous, il faut sortir. L'air est froid quand nous descendons de la voiture. Il est humide, il imprègne les vêtements. Il y a beaucoup de monde sur le quai. Nous longeons son bord pour éviter le flot des passagers, nous cherchons quelque chose par-dessus leurs épaules, sans savoir quoi, un guichet peut-être. Tout à coup, on se souvient, ce sont les toilettes qu'il faut trouver, on a dans la poche de quoi échapper à l'étouffement! Nous avons dans la poche de quoi vivre... Alors, on se dépêche, on est contents, on court au milieu de la foule. Là, les toilettes! à gauche! Nous n'avons qu'une seringue pour deux et nous ne pouvons pas entrer dans les toilettes ensemble. Je prends deux allumettes, en casse une et on tire au sort. Merde! C'est Laure qui gagne.

— Tu fais vite, hein!

J'attends, trépignant. Mais qu'est-ce qu'elle fout! Déjà plus de dix minutes! Ah, la voilà.

— Merde! T'en as mis du temps!

Je lui en veux de m'avoir fait poireauter. Elle a les yeux qui sourient, le visage satisfait. Elle me tend le sac de papier dans lequel se trouve le matériel, devant deux dames qui m'observent depuis tout à l'heure, sûrement intriguées par mon inquiétude. Je fonce vers les toilettes *Men*.

Maintenant tous les deux nous sommes bien. Nous sommes bien tous les deux. Il pleut toujours et on s'en fout. Notre train ne part que ce soir mais on peut attendre.

Nous arrivons en Irlande le lendemain. De nouveau le malaise nous a envahis. Nous avalons une méthadone chacun. C'est trop peu mais nous en prendrons deux autres plus tard, avant l'arrivée, afin d'être en forme et de ne pas éveiller les soupçons de Patrick, un copain de la mère de Laure, qui doit nous retrouver. Nous y allons en bus. Patrick est à l'arrêt de l'autocar. Laure lui a téléphoné de Dublin. Trois jours que nous n'avons pas dormi.

Il a accepté de nous louer un cottage au bord de la mer, à proximité d'un bois de pins. En fait de location, il ne nous demande pratiquement pas de loyer, nous payons le gaz et l'électricité. Ici la vie n'est pas chère, en faisant gaffe, nous aurons assez d'argent pour rester deux mois. La localité la plus proche, un petit village, se trouve à cinq ou six kilomètres de là.

Nous nous sommes imposé un rythme de vie draconien : lever tôt le matin, exercice physique et marche forcée pour aller au village faire les provisions, interdit de faire de l'auto-stop — d'ailleurs comme il ne passe que deux ou trois voitures par jour, on ne risque pas grand-chose.

Des études cliniques prétendent qu'il faut trois semaines aux toxicomanes pour éliminer complètement l'héroïne de leur sang et six mois pour que leurs reins aient évacué toutes les toxines.

En Thaïlande, des temples bouddhistes, transformés en centres de désintoxication, accueillent des junkies qui s'enferment volontairement trois semaines sans pouvoir sortir. Chacune de leurs défaillances est sanctionnée par des coups de trique... Il paraît que cette méthode donne des résultats exceptionnels : environ dix pour cent des patients, après ces trois semaines, ne touchent plus à l'héroïne. On les fait courir toute la journée pour leur faire exsuder le poison, courir jusqu'à l'épuisement qui videra l'organisme de ses tensions ; puis, la douche froide réparatrice

C'est à peu près cette méthode-là que nous avons employée Laure et moi, nous croyions que ce serait la seule efficace pour nous, celle qui correspondait le mieux à nos caractères. Nous avions des tas d'amis qui avaient suivi des cures douces : méthadone dégressive, acupuncture, psychothérapies, cures de sommeil... sans résultats. Pour nous, donc, la méthode dure :

Exercices, tractions, courses, sauter à la corde, aller chercher du bois, le fendre, faire le ménage, etc. Et les douches froides plusieurs fois par jour, afin de nous détendre, de fouetter notre sang qui circulait mal quand le cœur s'emballait. Ne pas se laisser aller, ne pas se laisser aller ! On s'exhortait l'un l'autre. Ne pas défaillir. C'était notre vie qui se jouait là. Ne pas se laisser aller : vaincre l'obstination du manque par une autre obstination aussi brutale : la rigueur, la discipline.

Quand le corps est en manque, il a froid, il se glace et frissonne, et les nuits d'insomnie, nous les passons devant la cheminée à tirer sur une cigarette. Mais nous sommes assez fiers de notre détermination. Nous avons l'impression d'avoir engagé un combat, une partie d'échecs contre une force quasi diabolique et de lui tenir tête ; nous connaissons assez bien la dope pour éviter ses pièges et ses tentations quand nous subissons ses assauts, ses tentatives de sujétion, son usure. Nous avons la conviction que, pour vaincre tout cela, il est essentiel d'assumer le manque. D'aider le corps à lutter contre le manque, surtout de ne pas l'éviter : il faut affronter la douleur, se stimuler par elle. A force de l'avoir éprouvé, nous connaissons le début du sevrage, nous savons que passer son cap donne une satisfaction telle qu'elle nous mobilise pour les jours futurs, c'est déjà une conquête.

Si les premiers jours ont été tolérables, c'est grâce à la méthadone. Nous ne nous en sommes pourtant permis que trois par jour, un minimum. Nous sommes avertis de ce que vaut ce médicament, de son ambivalence : ce n'est encore qu'un déguisement de la maquerelle qui prend sa forme pour mieux nous tromper. Elle quitte sa splendeur, sa blancheur immaculée, son visage poudré, ses broches et ses épingles, dont elle sait que nous nous méfions, elle se fait modeste, innocente, presque timide, avec son apparence proprette et inoffensive de petit cachet jaune, elle met le masque d'un remède pour nous faire croire à sa vertu curative, alors que la méthadone n'est rien d'autre que de l'héroïne chimique !

Quand son obsession se fait trop pressante, nous sortons pour marcher, pour ne pas penser qu'il suffirait d'avaler deux ou trois de ces petits cachets jaunes pour que sa hantise, plus violente encore que notre souffrance, s'estompe, disparaisse. Sournoise tentation.

Trois jours à louvoyer, à user de stratagèmes pour ne pas nous faire avoir par une vingtaine de comprimés.

Beaucoup de toxicos prétendent qu'il est impossible de décrocher à deux. On dit qu'alors l'éventualité probable de rechute est multipliée d'autant : celui qui sombre entraîne irrémédiablement l'autre... Mais nous, nous pensons justement que nous ne pourrons y arriver qu'à deux, que tous les deux. Nous sommes conscients de la responsabilité que chacun a vis-à-vis de l'autre, nous nous respectons.

Nous avons caché la méthadone dehors, loin de la maison, de manière que, si l'un de nous est trop tenté, il ait le temps de réfléchir avant d'avaler l'échec... et puis, surtout, l'autre aura le temps de s'en apercevoir et de l'en empêcher.

Trois comprimés par jour, c'est tellement peu : une véritable torture de savoir qu'ils sont là, qu'il suffirait de... Parfois, nous pensons que ce serait plus facile si nous les jetions à la mer, mais nous ne le pouvons pas, nous n'en sommes pas capables. Les savoir disponibles nous rassure... C'est ça, la dépendance psychologique.

J'étais dépendant de l'héroïne depuis tant d'années ! Elle était devenue pour moi une personne et avait fini par se confondre avec moi-même dans un rapport amoureux. Je voulais rompre avec elle et, en même temps, lui laisser encore une chance. C'eût été une trahison, un meurtre, un suicide, que de la jeter à la mer.

Plus je prenais conscience de cette dépendance, plus j'étais résolu à lui échapper. Et puis j'avais Laure.

Nous avons décidé d'abandonner les méthadones. Si nous continuons à en prendre, nous serons intoxiqués par elle et tout sera encore à faire. Les jours qui suivent sont éprouvants. Nous affrontons le désordre de notre système nerveux livré à lui-même. C'est la première fois que, depuis des années, il ne dépend que de lui-même. Il ne sait plus où il en est. Des périodes de dépression alternent avec des moments d'excitation irrépressible. Irritabilité, agressivité, euphorie, instants où l'on se hait... et tout ça dans un ennui morne, une nullité écrasante. Même la mémoire est vide, démunie. C'est tout juste si j'ai envie de me souvenir de mon nom, j'ai de moi une image dégradée ; le suicide devient une idée fréquente, une alternative, bientôt un désir... A quoi sert ce que je fais ? Pour quoi, pour quelle autre existence ? Heureusement, il y a ce réflexe : on se souvient que cet état est passager.

Nous avons acheté de l'alcool. Nous avons faim mais nous préférons boire. Ça compense. Il faut choisir, nous n'avons pas assez de fric pour faire les deux. Nous buvons du gin à longues gorgées et nous débouchons une autre bouteille quand la première est terminée. Ça aide, ça va puiser un peu d'énergie dans nos tréfonds, un peu d'enthousiasme. Après, quand l'effet de l'alcool se dissipe, il se dissipe trop vite, alors que nous devrions être ivres morts avec à peine le quart de ce que nous avons avalé, nous nous retrouvons prostrés dans l'inutile. Impression humiliante de nous être arnaqués nous-mêmes. Nous avons tout de même gagné une heure de répit mais nous nous dégoûtons d'avoir eu recours à ce substitut. Tout s'enchaîne à nouveau ; nous pensons aux méthadones qui nous collent à la mémoire, emballées dans un sachet de plastique, enterrées juste sous le quatrième poteau des barbelés qui ceinturent la pinède. Mais nous savons que nous ne nous pardonnerions pas d'en prendre. Nous sommes acculés, impossible d'échapper à cette oppression. Nous savons que rien n'y fera, qu'il faut attendre la guérison. Alors, nous nous étendons devant la cheminée où nous brûlons tout ce que nous trouvons d'inflammable, du carton, du papier, des emballages de toutes sortes car nous n'avons plus envie d'aller chercher du bois, surtout que, sous le quatrième poteau, il y a... Nous nous couvrons de tout ce qui peut servir à nous réchauffer, mais rien n'est suffisant.

Deux semaines comme ça, tristes, frustrantes, désespérantes et puis un jour on trouve, au réveil, qu'on a passé une bonne nuit, que tout a changé, comme si des lutins étaient venus par là faire le ménage. On se dit « merde, c'est pas possible », on étire les jambes, on se sent bien — enfin pas mal, on n'ose pas dire qu'on est bien, parce qu'au cas où on se serait trompé, on tomberait de trop haut. En douce, on regarde le calendrier. Eh oui, ça fait vingt-quatre jours. Plus de trois semaines ! On a dépassé les trois semaines fatidiques. Alors c'est un grand souffle, on vide ses poumons, on crache sa mauvaise haleine pour s'emplir d'air frais, on a le sentiment d'une réincarnation ; mais c'est bien plus que ça, c'est nous !

En fin de compte, nous sommes restés six mois en Irlande. Nous avons reçu de l'argent, alors que nous avions eu tant de mal, au départ, à trouver la somme nécessaire au voyage... Encouragés par notre évident rétablissement, la famille et les amis, maintenant, nous aidaient, ils avaient eu enfin la certitude que leur argent servirait à autre chose qu'à acheter de la poudre.

Nous avions l'impression de redresser un arbre qui s'était écroulé, celui de nos six dernières années. Chaque jour en Irlande étayait notre assurance. Quand nous faisions le constat de l'accident qui nous était arrivé, nous ne parvenions pas à croire que ce passé était vrai, ne serait-ce qu'un peu.

Parfois, Laure et moi nous parlions de Daniel. Nous, nous nous en tirions à bon compte, mais lui ? Je ne pouvais pas m'empêcher de penser au gâchis de toute cette histoire... Je me souvenais de notre enthousiasme, de cette envie de vivre insistante qui nous avait entraînés, tellement pressante qu'elle avait fini par déraper dans le fossé de l'absurde... tout était allé si vite !

Nous étions entrés dans l'héroïne, comme certains entrent en prêtrise, par nihilisme. Toutes ces années où elle avait été mon seul interlocuteur me surprenaient moi-même.

Parfois j'avais devant moi l'image de Neck qui s'enfonçait l'aiguille dans le bras en serrant les dents, redressant la tête dans une grimace, avec un sursaut, un tressaillement du cou. Puis une satisfaction perverse apparaissait sur son visage quand il pressait sur la détente de son « gun ». Il shootait comme on tire au fusil, avec la même hargne, le même besoin d'effacer, de nullifier « tout le reste ». Pour tous ceux de Lardyao, presser sur le piston de la seringue ressemblait à un règlement de comptes, était un acte de violence, un acte terroriste qui n'arrivait pas à s'exprimer parce qu'il se heurtait à l'inutile et se tordait contre le vide, pour se retourner contre eux.

De Lardyao, de la pulsion formidable du fix, de ce meurtre suicide à petit feu que la dope entretenait, il me restait un grand souvenir. Au-delà de la violence, de toutes ses expressions, se détachait la mémoire de la tendresse qui, parfois, circulait entre Kiss, Neck, Singh, et tous les autres. Une tendresse énorme, passionnée, convulsive. Chez tous ces gens fourvoyés par dépit, il y avait une soif de quelque chose de plus, peut-être une volonté de toucher au divin, un idéalisme débridé qui avait fini par dévier, par devenir, indépendamment d'eux-mêmes, une forme nouvelle de fascisme...

A l'issue de ces six mois de convalescence, il a fallu rentrer à Paris. Nous ne pouvions plus différer l'échéance, nous éprouvions l'urgence de revenir à notre point de départ. Rester eût été accepter notre vulnérabilité.

Dans le bus qui nous emmenait à Dublin, j'étais rêveur... J'emportais un texte que j'avais écrit, une cinquantaine de pages. La veille de notre départ j'avais hésité à les jeter au feu, elles auraient pu nous chauffer. Mais je les ai gardées.

Assis sur le siège de skaï bleu, dans le bus Pullman qui aspirait devant lui la bande noire du bitume, je me découvrais de l'affection, peut-être du respect, pour mes quelques feuilles de papier. J'y tenais. J'avais le sentiment d'avoir acquis quelque chose de nouveau, de définitif, comme si j'avais exsudé la malchance, comme si j'avais réglé un contentieux avec Elle.

Édité et distribué par
France-Amérique
170 Benjamin Hudon
Montréal, H4N 1H8
Tél.: (514) 331 85 07

ISBN: 2-89001-169-0

Achevé d'imprimer
en mai mil neuf cent quatre-vingt-trois
sur les presses de l'Imprimerie Gagné Ltée
Louiseville - Montréal.
Imprimé au Canada

Dépôt légal: 2ᵉ trimestre 1983.
Bibliothèque nationale du Québec
Bibliothèque nationale du Canada
Imprimé au Canada